Strade blu

Sandrone Dazieri

È STATO UN ATTIMO

MONDADORI

www.sandronedazieri.it

www.librimondadori.it

ISBN 978-88-04-55998-6

È stato un attimo

Primo giorno

Primo giorno

1

Fu il freddo a riportarmi nel mio corpo. Lo sentivo salire lungo la schiena, disegnandomi i nervi e i muscoli. Ero disteso su una superficie dura e gelida, con gli occhi chiusi e le gambe aperte.

Cazzo che botta, pensai. *Max mi ha fregato. Figlio di puttana.* Max era stato il mio socio, un bel ragazzone che somigliava vagamente a Rod Stewart, con i capelli castani chiari raccolti in un codino. L'avevo conosciuto una notte fuori dal bar di Oreste, un posto così zozzo che per andarci bisognava tenere poco alla salute. Ma io mica entravo, stavo fuori e vendevo. Mi chiamo Santo, e il mio lavoro mi aveva fatto meritare il soprannome di Trafficante: Santo Trafficante, come uno di quelli del complotto Kennedy. Meglio di Denti, il mio cognome vero, che sembrava il cartellino sopra una reliquia.

Max faceva il mio stesso mestiere, senza un minimo di stile. Staccava i pezzi di fumo con i denti e accettava pagamenti in monetine. Sul tardi lo trovavi sdraiato a guardare il cielo, fatto come un copertone, e più di una volta Oreste lo scopava via insieme ai rifiuti. Lo vedevo sempre in giro: al parco, a qualche concerto, ma non gli avevo mai rivolto la parola. Anzi, lo guardavo male quando passava a meno di cento metri da me. E che cazzo, bello, Milano è grande. Vatti a trovare la tua fetta altrove.

Però quella sera, una bella primavera dell'88, complice la calma piatta, avevamo finito per metterci a chiacchierare come vecchie zie. Chi si somiglia si piglia, e noi eravamo della stessa razza, portatori di poverite cronica e voglia di fare un cazzo acuta.

Chiacchiera che ti chiacchiera, avevo confidato a Max il sogno che stavo facendo da un po' di tempo. Senza vantarmi, Trafficante era l'imbucato numero uno di Milano. Gli studenti facevano a gara a invitarmi, sperando di avere da fumare e pippare gratis. Io offrivo solo il primo giro e svuotavo il frigorifero. Mi aggiravo in case favolose, sbavando su tutto quello che vedevo, e che quei fessi tenevano in giro come fosse roba da nulla. *Ah sì, è l'orologio d'oro di papà. Ah certo, è un quadro di valore, l'abbiamo assicurato per una montagna di quattrini.*

Meritavano di tenersi quella roba? Oh, no. Ne ero talmente convinto che ormai, mentre gli altri limonavano o ballavano i lenti, passavo il tempo facendo piantine delle case e studiando finestre e sistemi d'allarme. Sarebbe stato così facile... ma per qualche motivo mi era sempre mancato il coraggio. Con il mio business avevo a malapena di che camparci, ma era una rendita sicura. Chi lascia la via vecchia, ecc.

Però Max mi aveva convinto del contrario. Secondo lui era l'idea più bella del secolo, più del Calippo, che rende tutte le ragazze così sexy. E poi, lui sapeva come piazzare la merce. Anche se era poco più vecchio di me, negli anni Settanta era stato un duro di un collettivo politico superduro, di quelli che andavano in corteo con le molotov e assaltavano le armerie. La maggior parte dei suoi compagni di merende era finita in galera, e quelli ancora a piede libero erano dei randa da paura. Un paio di loro ricettavano di tutto: sarebbero stati lieti di acquistare a buon prezzo il frutto del nostro lavoro.

«Stiamo parlando sul serio?» gli avevo chiesto intorno all'ora di chiusura di Oreste.

«Stiamo parlando sul serio.»

«Bella lì.»

L'operazione studente era scattata una settimana dopo. Notte fonda, io e Max che scivolavamo lungo le scale di un palazzo del centro con le chiavi di scorta del padrone di casa, sottratte con destrezza dal sottoscritto durante un toga party. Caga bestiale. Mi aspettavo che saltasse fuori uno sbirro tipo Baretta con il cannone e le manette. Invece era filata liscia. Eravamo usciti carichi come Babbo Natale in neanche mezz'ora. E, ovviamente, avevamo continuato. Due o tre lavori al mese per un anno, dentro e fuori, rapidi e invisibili. Poi, qualcuno aveva cominciato a nasare la storia. Non ci voleva Sherlock Holmes per scoprire che tutte le case ripulite avevano avuto l'onore di una visita di Santo Trafficante nelle settimane precedenti. Qualcuno mi guardava strano, gli inviti si erano misteriosamente rarefatti. Ma io e Max avevamo pronto un piano di riserva. Tornavamo allo spaccio, però alla grande, reinvestendo il piccolo capitale che avevamo messo via con i furti. Il nostro fornitore si chiamava Alfredo, un ex di Ordine Nuovo con la celtica d'oro sui peli del petto che ci riceveva sempre in vestaglia in una casa simile a un luna park, con le luci stroboscopiche e una fila di flipper d'epoca che non ci lasciava toccare.

I nostri clienti venivano invece dal giro di Max: reduci dell'estrema sinistra, simpatizzanti, alternativi. Adesso non vendevamo più in piazza e accettavamo solo richieste sopra l'etto per l'hashish e i dieci grammi per la bamba. Max teneva i contatti, io guidavo, portavo la merce a domicilio. Girava tutto bene e riempivo di biglietti da cento una cassetta che tenevo nascosta in cantina. Mica volevo fare il pusher tutta la vita. Prima o poi, mi sarei dato a qualcosa di legale, tipo comprarmi un bar e farlo gestire a qualcuno che avesse voglia di spaccarsi il culo al posto mio. Io sarei passato una volta alla settimana, per controllare gli incassi. Non fosse stato per Max, forse ce l'avrei fatta.

Già sapevo che Max si bucava e non me ne era fregato niente fino a quando si era mantenuto lucido e svelto di mano. Ma adesso lo vedevo sempre più bollito e cominciava a crearmi problemi sul lavoro. Ti fai una brutta fama quando il tuo compare gratta la merce e taglia oltre la decenza, salta gli appuntamenti, sparisce per giorni. E come se non bastasse, con i suoi magheggi ero sicuro che mettesse in tasca molto più di me. La nostra società era terminata quando gli avevo ribaltato i cassetti di casa cercando quello che mi era dovuto. Senza trovarlo, peraltro.

Strade divise, destini diversi. Io avevo continuato a fare quello che sapevo fare, lui aveva imboccato la triste china che generalmente ti porta a diventare cadavere in un fosso, come monito per tutti i tirapacchi del mondo.

Gli era andata un po' meglio di così. L'avevano trovato al parco Ravizza con la mascella fratturata e le gambe spezzate a colpi di mazza. Avevo pensato fosse stato Alfredo, con cui Max aveva una serie di debiti. Io gliene avevo pagati un po', ai bei tempi, quando ancora pensavo che fosse possibile recuperarlo, ma poi... Be', io avevo la mia vita, e i soldi non crescono sugli alberi. Max era stato fuori circolazione per sei mesi, poi una notte d'agosto mi era piombato in casa con una bottiglia di whisky. Non era proprio un bello spettacolo: le ossa gli si erano saldate, ma aveva la mascella storta e gli mancava la metà dei denti. Era talmente mogio che gli avevo offerto una pista a credito, per tirarlo su. E lui si era messo a blaterare di un grande affare. «Venti chili di marocchino, tremila lire al grammo, se non ti convince questo non sei più il Santo Trafficante che conoscevo» aveva detto, con l'aria di farmi un regalo.

Per pagare così poco, come minimo bisognava aver contatti con Medellín, e Max zoppicava ancora grazie ai suoi ultimi fornitori. Era impossibile che fosse entrato di colpo nel grande giro.

«Scusa» avevo detto mentre mi facevo uno svuotino, «ma 'sto fumo da dove piove?»

Ci aveva girato un po' attorno, tipo *sai, non so se te lo posso dire*. Poi si era inventato una storia che non stava in piedi su un tizio che aveva fatto il giro del mondo in barca, che aveva avuto un colpo di fortuna in Africa e che adesso aveva un disperato bisogno di soldi. Roba da ridergli in faccia. Gli avevo riso in faccia.

Lui aveva insistito, pregato, fatto appello alla vecchia amicizia, poi si era afflosciato sulla sedia. «Non me la prendo. Troverò qualcun altro.»

«Di fessi è pieno il mondo.»

Aveva alzato la bottiglia di whisky. «Allora brindo alla tua salute.»

«Che duri.» Mi ero piegato per tirare, e Max mi aveva dato una botta in testa con la bottiglia.

E adesso mi trovavo sul pavimento, sicuro solo di due cose: che non ero morto, e che i miei sudati risparmi erano spariti.

Però stranamente non sentivo male, soltanto un freddo insopportabile. Avevo letto che succede quando perdi troppo sangue, e mi chiesi se la mia testa fosse aperta come un melone. *Magari i vicini mi hanno salvato e adesso sono in un letto d'ospedale. Quando aprirò gli occhi vedrò un dottore, o uno sbirro.*

Attorno a me c'era silenzio, sentivo solo il mio respiro, il battito del cuore. Annusai. Avvertivo un odore come di plastica bruciata. E qualcosa che sembrava... pino silvestre.

Alzai le palpebre. Niente ospedale e niente casa mia. Ero supino su un pavimento di marmo, e fissavo un soffitto bianco latte. *Sempre più strano*, pensai. Faticosamente girai la testa, che continuava a non farmi male, anche se ricordavo il rumore della bottiglia contro l'osso. Ero in un cesso, grande, da locale pubblico di lusso, non l'orribile buco puzzolente di Oreste. Lungo la parete alla mia sinistra c'era una serie di lavandini in marmo, e più in là una fila di stanzini con i water. L'altra parete era nuda, a parte un solitario interruttore della luce che doveva essere andato in corto, perché un sottile filo di fumo nero saliva da lì sino al soffitto. Era quello a puzzare di plastica bruciata.

Raccolsi le idee. Non conoscevo quel posto, ma di sicuro qualcuno mi ci aveva portato. Max? Mi sembrava improbabile. Alzai un braccio per tastarmi, in cerca di ferite, ma lo bloccai a mezz'aria.

Il mio braccio era cambiato. A casa indossavo una maglietta, adesso avevo le maniche lunghe. Spingendomi sui talloni riuscii ad appoggiarmi al muro con la schiena e mi guardai. Anche i jeans e le Doctor Marten's erano spariti, sostituiti da un completo nero, una camicia bianca e un paio di scarpe di cuoio con i lacci. Avevo anche una cravatta nera, come i Blues Brothers. Me lo stavo sognando? Decisi di no, ero abbastanza lucido vista la situazione. Mi aggrappai al bordo del lavandino più vicino, cercando di tirarmi in piedi, ma avevo calcolato male e a metà strada persi la presa e caddi, cacciando un urlo di frustrazione. Dovetti chiudere gli occhi perché la stanza aveva cominciato a girare.

Quando li riaprii c'era un uomo chino su di me. Gridai ancora per la sorpresa e l'uomo fece un balzo indietro. Era sulla sessantina, calvo, e indossava quello che mi pareva un frac. Sopra la camicia bianca inamidata aveva una specie di medaglione nero appeso a una catena.

«Mi hai fatto venire un colpo» ansimai.

Non si scompose. «Si sente male?»

«No... io...» Ero completamente disorientato. Passino il cesso e il vestito cambiato, ma un babbione vestito da pinguino non sapevo proprio come collocarlo. A giudicare dalla sua espressione, era stupito quanto me.

«Non si muova» disse. «Vado a cercare un dottore.»

Dottore, denuncia, sbirri. Qualsiasi cosa fosse successo, non li volevo tra i piedi. «No, per favore.»

«Ma...»

«Dài, non rompere. Dammi solo una mano.»

Il tipo mi sollevò per un braccio e rimase a fissarmi.

«Problemi? Ho la faccia sporca?» chiesi.

«No, è in ordine... Ma stanno per cominciare.»

Mi morsi la lingua prima di chiedere *Cominciare cosa?*. Dovevo fare lo gnorri. «Ah, bene.»

«Posso accompagnarla al suo posto?»

Annaspai. «Ci vado da solo.»

Sembrò imbarazzato. «Capisce... Non posso lasciarla qui... Se mi fa vedere il biglietto...»

Biglietto? Da quando servivano biglietti per andare a pisciare? Ressi con la forza della disperazione. «Non so dove l'ho messo.»

L'uomo indicò il taschino della mia giacca. «È lì.»

«È qui. Ma guarda.» Tastai. C'era davvero un pezzo di carta che sporgeva. Automaticamente lo estrassi e lo porsi all'uomo. Forse Max mi aveva ammazzato e, visto che l'inferno era pieno, mi avevano messo ad aspettare il mio turno.

L'uomo sorrise di nuovo e lesse il biglietto. «*Fila M posto 7*, proprio qui fuori. Se la sente?»

«Come no?»

L'uomo si incamminò verso l'uscita. «Le faccio strada.»

Lo seguii con un passo da palombaro. Mi fossi girato per un attimo, avrei potuto vedermi per bene nella fila di specchi sopra i lavandini. Ma non ci pensai nemmeno, o forse inconsciamente cominciavo a sospettare la verità e me ne tenni alla larga. Così mi scorsi solo con la coda dell'occhio, una sagoma nera che barcollava verso l'ignoto.

Fuori non c'era un fiume di fiamme, ma un corridoio dello stesso color beige del bagno, che curvava a semicerchio. Piccole lampade da rigattiere lo rischiaravano di una luce gialla e calda. L'uomo mi fece cenno di precederlo attraverso una porta aperta e mi ritrovai in una sala enorme. Un migliaio di poltroncine, tamarri in abito da sera, palchi, stucchi oro e velluti rossi, un grande sipario rosso. Non c'ero mai stato in quel posto, ma lo conoscevo, come lo conoscevano tutti. Era il più famoso di Milano.

Ero alla Scala. Il teatro. Quello.

Qualcuno degli spettatori si voltò a guardarmi, e mi aspettai grida di aiuto e richiami. Invece nessuno sembrò stupito. Le luci si abbassarono e tornarono a brillare. Mancava poco all'inizio. Proprio come aveva detto l'uomo in frac, che finalmente capii essere una maschera, con il vestito intonato all'arredamento. Lui mi sorrise ancora. «È qui» disse, indicandomi un posto vuoto tra un tipo con la faccia da manager e un pezzo di figa sulla trentina, con un abito da sera che le lasciava scoperte le spalle. Lo guardai senza capire, alzò le sopracciglia. «Il suo posto.»

«Il mio posto.»

La tipa stava leggendo un libretto e quando mi sedetti al suo fianco alzò gli occhi su di me. Era mora, con gli occhi chiari e il viso affilato. Non era perfetta, ma dava parecchie lunghezze a molte ragazze con cui ero stato. «Ce ne hai messo di tempo» disse.

«Io?»

Aggrottò le sottili sopracciglia depilate. «Cosa succede, Saint? Non stai bene?»

Ci sono molte situazioni che una persona sana di mente non vorrebbe vivere, e io le stavo sperimentando una dietro l'altra. Mi ero preso una mazzata in testa, mi ero appena svegliato vestito come un fesso in un posto in cui non avrei mai pensato di mettere piede e senza sapere come cazzo ci fossi arrivato. E adesso una perfetta sconosciuta si comportava come una mia amica intima, chiamandomi con un nomignolo da pirla. Mi irrigidii sulla poltroncina. Se la tipa mi avesse toccato, teso com'ero credo le avrei tirato un cartone. Ma le luci si abbassarono di nuovo, e questa volta rimasero spente. Protetto dal buio, mi concessi il lusso di tremare.

2

Sul palco saltellavano attori in costume, dame, cava-
lieri, giocolieri e venditori, cantando in francese. Non
ci capivo un cazzo. Passarono dieci minuti. Adesso si
esibivano una donna e un vecchio con un bastone.
Con il buio, nello schienale delle poltroncine della fila di fronte si erano illuminati dei piccoli televisori.
Su quello davanti a me lampeggiava solo la scritta
Press button to start, mentre su quelli dei miei vicini
scorrevano delle righe di testo bianco.

MANON (*à part*)

Mon Dieu! mon Dieu!
Donnez-moi le courage
De tout oser lui demander!
Mon Dieu! mon Dieu!
Donnez-moi le courage
De tout oser lui demander!

LE COMTE

Ignorer n'est-il pas plus sage,
Au passé pourquoi s'attarder?

La tipa si sporse verso di me e mi sussurrò in un orecchio. «Sono bravissimi.»

LE COMTE *(la regardant fixement)*
Ses larmes coulaient en silence.

MANON *(très émue)*
L'a-t-il maudite, en pleurant?

Grugnii qualcosa per non compromettermi. La donna mi prese la mano, e sembrò non accorgersi di quanto fosse sudata. «Grazie» disse. Poi mi morsicò il lobo dell'orecchio. Il gesto fu inaspettato e spostai la testa di scatto. Istintivamente alzai la mano per aggiustarmi gli occhiali, un gesto che ripetevo dalla prima elementare, come tutti i miopi.

Gli occhiali non c'erano.

Avrei dovuto accorgermene prima, ma per un miope gli occhiali sono una presenza scontata. Quando ci vede, vuol dire che li ha sul naso. Io, invece, ci vedevo e non li portavo. E non avevo neppure le lenti a contatto. Le avevo usate per un certo periodo, ed erano state una tortura, perciò sapevo quando c'erano e quando no. Adesso era no. Ero guarito miracolosamente. Tra tutto quello che avevo passato, fu quella scoperta a farmi sbroccare del tutto. Persi ogni residuo di autocontrollo. Scappai.

LE COMTE *(légèrement et avec intention)*
Il a fait ainsi que votre amie,
Ce que l'on doit faire ici bas,
Quand on est sage,
N'est ce pas? …

Ripresi la porta da cui ero entrato, incappando in un gruppetto di tizi in frac e medaglione che mi gridarono dietro. Non li stetti a sentire. Corsi lungo il corridoio fino a una scala che portava su e la presi a passo di carica. Mi trovai in un atrio con statue di marmo, ma avevo occhi solo per le porte a vetri apparse al mio orizzonte. Le spalancai ed ebbi un nuovo shock, ancora più tosto dei precedenti.

Era inverno.

Ricordavo perfettamente il caldo soffocante che faceva a casa mia poche ore prima, e adesso si gelava. Gli alberi di piazza della Scala erano spogli e coperti di un leggero strato di neve, il marciapiede fangoso. Sopra i fili del tram penzolavano decorazioni con le lampadine a intermittenza che disegnavano babbi natale e abeti. Mi lasciai frustare dal vento, immobile sul marciapiede. Natale? Non poteva essere vero. La botta mi aveva ammattito, mi ero calato un acido e stavo facendo il più brutto viaggio della mia vita, stavo sognando e sarei caduto dal letto. Dovevo tornare a casa. Dovevo tornare nella mia tana e tutto sarebbe andato a posto. Ripresi a camminare nell'inverno che non poteva esserci in una città che era…

… cambiata.

Le strade erano ancora quelle, in via Manzoni c'erano ancora i palazzi strafighi, ma tutto il resto era differente. Piccoli particolari, scritte incomprensibili sui muri, pubblicità che non riuscivo a decifrare. Non ero mai stato un grande frequentatore del centro storico, ma quelle poche volte non poteva essermi sfuggita una bazzecola chiamata Emporio Armani, una mostruosità lunga venti vetrine. E da quando avevano ficcato un bancomat in ogni angolo? Sentii un tram sferragliare dietro di me e corsi fino alla fermata per aspettarlo. Ma non riuscii a salire. Sembrava uscito da un circo, enorme, lucido, dipinto di colori brillanti. Mi limitai a guardarlo mentre scivolava via. Il tram aveva dietro di sé una fila di taxi e li fissai a bocca aperta, ancora più impressionato. Erano bianchi invece che gialli, come dire che la Coca-Cola sa di aranciata. Ma ero solo all'inizio.

In piazza Cavour era sparita l'insegna della "Notte", il giornale che leggevo nel pomeriggio per vedere se era morto qualcuno. Al suo posto brillava il nome di una palestra, Down Town, che offriva fitness. *Fitness*? Cioè? Vicino un cartellone enorme pubblicizzava qualcosa chiamato Fastweb.

Arrivai in Turati con il fiato mozzo.

La foto di una tipa in bikini, alta tre piani, regalava *telefonini* senza tasse. La metropolitana aveva cambiato l'insegna. Non c'era più la doppia M rossa, ma una singola, affiancata da una S verde su fondo blu. Non potevo infilarmi là dentro, mi sarei perso, sarei stato Stritolato da un Serpente. Sbocconcellato da uno Squalo. Squartato da un Sadico.

Via Vittor Pisani con i piedi congelati.

Era sparita la cabina telefonica che avevo usato mille volte. Anzi, non se ne vedeva in giro nessuna. Su una colonnina ruotavano le pubblicità di film mai sentiti.

Sullo sfondo cominciò a ingrandirsi la Stazione Centrale con i leoni di pietra, il tetto nero. Sembrava sempre quella, ma da vicino scoprii che la piazza con il pavé era sparita, sostituita da un'enorme pista da pattinaggio bordata di aiuole. Un gruppo di africani sbronzi si rincorreva tirandosi bottiglie vuote. *Africani*?

Stetti a guardare quella scena senza senso per qualche minuto, incapace di proseguire. Qualcosa, lì, dovette farmi *clic* in testa, perché ricominciai a camminare senza più badare a quello che mi circondava. Urtavo i passanti, scappavo se cercavano di dirmi qualcosa. Persi la cognizione del tempo e mi ritrovai non so come all'angolo dove la mia via incrociava viale Monza. Avevo il freddo nelle ossa e mi sentivo talmente male che superai il mio numero senza fermarmi.

Mi accorsi che qualcosa non andava solo a metà della via e tornai indietro. Rifeci il percorso lentamente. *Dieci, otto, sei.* Dove avrebbe dovuto esserci il portone di ferro e vetro del mio palazzo, adesso luccicava la vetrina di una banca mai sentita. *Intesa*, diceva la scritta multicolore. *Intesa. Intesa.* Con quel nome che mi martellava in testa, rifeci ancora la strada da un capo all'altro, poi ancora dall'inizio alla fine, poi avanti, poi indietro. Alla fine mi arresi.

Casa mia era sparita. Aveva fatto la fine dei miei occhiali, dei miei jeans, del giallo dei taxi. Ero naufragato in un mondo dove niente era più al suo posto.

Andai giù come una pera cotta, cadendo su un mucchio di scatoloni ammucchiati davanti alla banca. Il cartone era fradicio, l'acqua mi bagnò sino alle mutande. Ma non potevo alzarmi. Sarei rimasto lì fino a quando non fossi diventato un blocco di ghiaccio se una luce non mi avesse illuminato la faccia. Dietro il bagliore, distinsi un'auto degli sbirri, un'auto come nel mio mondo non ne esistevano, grande quanto una jeep militare americana, con enormi ruote da fuoristrada. *Adesso mi arrestano*, pensai. Ma non mi importava più. Uno sbirro urlò da dietro il finestrino. «Cosa sta facendo? Problemi?»

Chiusi gli occhi.

«Andiamo a vedere se sta male» disse il suo collega.

Sentii le portiere aprirsi e i passi dei due sbirri in avvicinamento. Le loro voci mi entravano in testa senza che io le capissi. Erano solo rumori di fondo, e io non ero più in grado di rispondere. Non ero più in grado di fare nulla.

«Non è un barbone.»

«Dai vestiti direi proprio di no. Signore, si sente bene?»

«Aspetta che guardo se ha i documenti.»

Una mano mi toccò gentile la fronte. «È gelato.»

«Ci credo, con il freddo che fa.»

«È uscito un po' leggerino per la stagione.»

La mano scese a frugarmi nella giacca. Ne estrasse il portafoglio.

«Si ricorda come si chiama?»

«Questo è andato. Drogato perso.»

«Macché, non gli vedi la faccia? Un crollo nervoso.»

«Ma come parli?»

«Scusa se leggo qualche libro ogni tanto.»

«Fammi guardare. Santo Denti. Santo, mi senti? Pronto?»

«Prova a parlare al muro, magari quello ti risponde.»

«Va be', chiamiamo l'ambulanza?»

«Aspetta. Avviso la centrale per verificare se qualcuno ha fatto segnalazione di scomparsa.»

Pirulì pirulò. Macchina a centrale eccetera.

«Macché. Nessuna segnalazione.»

«Ambulanza?»

«Portiamolo a casa. Facciamo prima.»

«Ti ricordi dove abiti, Santo?»

«See, prova a fargli i segnali Morse.»

«Comunque l'indirizzo è qui sulla patente. Corso Vercelli 6.»

«Zona figa.»

«Con quello che ha in tasca se lo può permettere. Una, due, tre carte di credito. Pure la Platinum. Sai quanto te la fanno pagare?»

«Magari ci possiamo comprare qualcosa mentre lo accompagniamo.»

«Piantala di dire cazzate e dammi una mano.»

Mi afferrarono uno per lato. Non li guardai e non li aiutai. Avevo persino smesso di tremare.

«Come pesi, Santuccio bello.»

Mi spinsero sul sedile posteriore e uno dei due mi mise addosso una coperta puzzolente di vomito. Rimasi disteso a fissare il tettuccio dell'auto. Non so quanto durò il tragitto. Persi certamente qualche colpo, perché mi ritrovai in piedi tra i due poliziotti, davanti a un citofono con la telecamera incorporata. La mia paralisi si era trasformata in plasticità. Andavo dove mi spingevano, se mi mettevano dritto ci rimanevo.

«Denti, eccolo.»

Buzz.

«Speriamo ci sia in casa qualcuno.»

«Chi è?» Una voce femminile. Poi dovette inquadrarmi perché disse: «Saint... Cos'è successo?».

«Polizia, signora. Il signor Denti si è sentito male. Che piano?»

«L'ultimo. Oddio.»

La serratura del portone fece uno scatto elettrico, i poliziotti mi presero per le braccia e mi accompagnarono dentro. Ascensore color mogano, tappetino rosso, pulsantiera di ottone. Uno dei poliziotti premette quarto piano. All'arrivo, la porta dell'ascensore fu aperta da una donna che avevo già visto, con gli occhi spalancati per la tensione. Era la tipa seduta accanto a me alla Scala.

«Saint...» Mi abbracciò, non reagii. «Ma cosa gli è successo?»

«Non lo sappiamo, signora. Lo abbiamo rinvenuto in prossimità di viale Monza.»

«Gli capita spesso di avere... delle assenze?»

«No, mai, no. Vieni, Saint, per favore. Sei gelato.»

L'appartamento era talmente enorme che il palcoscenico della Scala avrebbe potuto starci comodamente. Un lungo corridoio sul quale si aprivano gli archi di un salone arredato con mobili bizzarri e costosi, una scala che portava al piano superiore con la ringhiera di legno lucidato e ottone, una cucina in acciaio con un tavolo in marmo dove avrebbe potuto mangiare un reggimento. La donna mi prese per mano e mi trascinò verso il divano del soggiorno. Mi ci fece distendere, e rimaneva abbastanza spazio per altre due persone, poi tornò in corridoio. La sua voce e quella dei poliziotti arrivavano attutite. «Non so come ringraziarvi. Posso... non so se si fanno queste cose... posso darvi qualcosa per un caffè.»

«Lasci stare, signora, non è il caso.»

Il mio braccio destro ciondolava contro un tavolino di vetro. Battei il polso contro uno spigolo, e il dolore acuto mi provocò la prima reazione autonoma. Mossi la mano lungo la superficie liscia. Un bicchiere con ancora un po' di vino che rovesciai, un giornale, un oggetto di plastica lungo e rigido, dalla superficie irregolare. Lo portai lentamente all'altezza degli occhi.

«... non vi sto corrompendo, no? Non ho niente da

nascondere.» La voce della donna era di un'ottava troppo alta.

«Se proprio insiste…»

Era un telecomando Sony, con un sacco di pulsanti di cui ignoravo la funzione. Ne premetti uno. Di fronte a me un pezzo di parete si illuminò. Quello che mi era sembrato un quadro completamente nero si rivelò essere un televisore, enorme come il resto della casa. Anche nello stato di confusione in cui mi trovavo, fui colpito dai colori e dalla purezza dell'immagine che neanche al cinema. Feci scorrere i canali e quando la sconosciuta salutò i poliziotti e tornò da me, io stavo ancora fissandolo.

«Saint, ma cos'è successo? Mi hai fatto prendere uno spavento…» Si inginocchiò accanto a me. «Saint, ma cosa c'è?»

Boccheggiai. «Guarda.»

«Cosa?»

Indicai lo schermo del televisore. Il volto di Kurt Cobain sorrideva. «È morto, si è ammazzato davvero.»

«Saint…»

«Ma quando è successo?»

«Non lo so, Saint… Un sacco di tempo fa.»

Chiusi gli occhi. «In che anno siamo?»

«Come?»

«In che anno siamo? Dimmelo, cazzo.»

Finalmente cominciavo a capire.

3

Da quando avevo preso la botta in testa a quando mi ero svegliato alla Scala erano passati quattordici anni. *Quattordici anni.* Una vita. Che mi ero dimenticato. Non poteva essere una balla. Avevo visto troppe cose strane, combaciava. Ed ero troppo stanco per inventarmi altre spiegazioni. Mi sentivo come fossi reduce da una lunga malattia, debole e febbricitante.

La tipa mi aiutò a togliere i vestiti bagnati e a infilare un orrido pigiama in flanella stampato a ombrellini e telefoni. Poi mi preparò un tè. Avevo spento il televisore, ma il volto di Cobain continuava a tormentarmi, come la versione acustica di *The Man Who Sold the World* che avevo sentito per la prima volta in vita mia. Ma no. Semplicemente mi ero dimenticato anche di quello. Come della tipa. Si chiamava Monica. Sedevamo di fronte al camino acceso – un camino! – del piano superiore, in un salone con le pareti coperte quasi interamente di libri e CD. Tranne una, su cui era appeso solo un mostruoso crocefisso di ferro e legno, alto un paio di metri. Un pezzo che i miei occhi allenati giudicarono antico e molto costoso. In un'altra occasione, avrei pensato a come portarmelo via e venderlo, anche se ci sarebbe voluta una gru.

Monica rigirava la tazza tra le mani, mordicchiandosi le labbra ed evitando di guardarmi. «Dimmi ancora cosa ti è successo.»

«Non ho molto da dire.»

«Per favore.»

«Non so niente. Mi sono svegliato nel cesso. Prima c'era la mia vita normale.»

«Qual è il tuo ultimo ricordo di *prima*?»

«Mmm. Ero a casa a bere.» Più o meno vero.

«Che anno era?»

«Il 1991.»

Trattenne il respiro. «Stai scherzando.»

«Ti pare che scherzo?» Annusai la mia tazza, puzzava di gelsomino. «Ma non c'è niente di meglio?»

Parve stupita. «Cosa vorresti?»

«Basta che sia alcolico.»

Si alzò dal divanetto e armeggiò con alcune bottiglie disposte su un tavolino antico. Mi porse un bicchiere con due dita di whisky. Lo buttai giù, lei sorseggiò il suo. Lo stomaco prese a bruciarmi dopo mezzo secondo.

«Però, forte…» dissi.

«Non sei abituato.» Notò la mia espressione perplessa. «Non bevi più. Da tanti anni.»

«E perché?»

«Ci vuole un motivo per smettere di bere?»

«Qualunque fosse, me lo sono dimenticato.» Alzai il bicchiere. «Fammi il pieno, grazie.»

«Santo cielo…» Cercava di mantenersi calma, non è che le venisse molto bene. Andò a prendere la bottiglia e me la passò.

Riempii il mio e il suo. «Ero miope. Adesso ci vedo.»

«Ti sei fatto operare.»

«Ah.»

«Con il laser.»

«Ah.»

Restammo in silenzio per un minuto buono. «Si chiama amnesia» borbottò Monica poi. «È quando...»

«So cos'è un'amnesia. Mi hai preso per un burino?»

«Certo che hai dei modi...»

Le feci stancamente il verso: *Certo che hai dei modi*. Sospirò. «Guardami, Saint.»

«Non chiamarmi così. È un soprannome da frocio.»

«Ti ho detto di guardarmi.»

La guardai.

«Saint... Santo. Io rimarrò calma, lo farò per te e per noi. Anche se mi dirai cose che mi possono ferire, rimarrò calma. Quindi, smettila di cercare di provocarmi.»

«Ti tremano le mani.»

«Cazzo! Scusa, non dovevo dirlo, non dovevo dirlo. Sono calma.» Sorrise talmente stretto che pensai le si sbriciolassero i denti e si versò un altro po' di whisky. Ci stava provando gusto. «Hai preso una botta in testa?»

«Quattordici anni fa.» Mi tastai. «Ma adesso sto bene.»

«Come no.»

Mi guardai il palmo della destra. «C'è solo questa bruciatura.» Me n'ero accorto mentre mi toglievo i vestiti fradici.

«Fammi vedere. Ti fa male?»

«Un po'.»

Era quasi un quadrato perfetto stampato al centro

del palmo, rosso. Con la punta di un'unghia Monica grattò via un pezzettino di roba nera attorno alla ferita.

«Ahia!»

Monica si annusò l'unghia. «Plastica» disse. «Cos'hai toccato?»

«C'era un interruttore che bruciava, nel cesso.»

«Ecco.»

«Ecco cosa?»

«Hai preso la scossa.»

«E allora?»

«Ti sei bruciato il cervello.»

«Mai sentita una cagata del genere.»

«Tanto non te lo ricorderesti, no?» disse cattiva.

Un punto per lei. Bevvi un altro sorso.

«Oggi ho compiuto gli anni» disse triste. «Trentadue.»

«Auguri. Dov'è la torta?»

«La Scala era il tuo regalo. Ci tenevo tanto, la *Manon* di Massenet. I biglietti erano esauriti da una vita, ma sei riuscito a trovarli lo stesso.»

«Sei mia moglie?»

Scattò in piedi. «Cazzo. Questo non lo sopporto! Non lo sopporto!»

«Sei mia moglie.»

«No che non sono tua moglie! Sono la tua fidanzata. Da due anni.»

Mi si tolse un peso dal cuore. «Viviamo assieme?»

«No.» Si risedette. «Non è una cosa da farsi, prima del matrimonio.»

«Sei vera o ti pagano per essere così scema?»

Si raggelò. «Devo essere comprensiva. So che non sei così. È l'amnesia.»

«Più che amnesia mi sento come fossi stato ibernato. Hai presente Buck Rogers?» Ero sempre stato un appassionato di fantascienza. Compravo i tascabili usati alle bancarelle davanti alla Stazione Centrale, che non c'erano più a quanto avevo visto. Da quando avevo capito dove mi trovavo continuavo a pensare ai racconti sui viaggi nel tempo. Avevo scoperto sulla mia pelle che non servivano macchinari complicati per vedere il futuro. Bastava una bottigliata.

«No, non ce l'ho presente Buck Rogers.» Strinse le dita attorno al bicchiere fino a farle diventare bianche. «Ascolta. Io ti ho frequentato, capisci? Siamo stati insieme su questo divano centinaia di volte. E mi guardi come se non mi conoscessi...»

«Io non ti conosco, infatti.»

«Un cazzo non mi conosci! Io e te ci vogliamo bene.»

«Facciamo finta di crederci. Dove abito adesso?»

«Secondo te dove abiti? Qui.»

«Qui?» Ah, già. Gli sbirri avevano letto l'indirizzo sui miei documenti.

Monica trangugiò il suo bicchiere. Le guance le erano diventate rosse. «Avevi lasciato il cappotto alla Scala e dentro c'erano le tue chiavi di casa. Mi sono spaventata, non sapevo cosa fare... sono venuta qui... Ho preso anche la tua auto.»

Diedi ancora uno sguardo all'arredamento. Il *mio* arredamento. Bei gusti del cazzo mi erano venuti. «Be', devo avere un bel giro adesso. Niente basso profilo.»

«Direi di no. La Beagle & Manetti è tra i leader di mercato.»

«Di cosa? Dell'eroina?»

«Dio dammi la forza. Pubblicità. Tu sei il direttore creativo dell'agenzia.»

Rimasi con il bicchiere a mezz'aria. «Non ci credo.»

Monica agitò una mano davanti alla mia faccia. «Yuhuu, sveglia! Duemilacinque, ricordi? Non sei più uno studente, o quello che eri.» Si versò ancora da bere. Cominciava a biascicare un po'. «Lavoriamo insieme, tra parentesi.»

«Sei anche tu un direttore creativo?»

«Quasi. Sono la tua assistente.»

«Pure questo. Mi scopo la segretaria.»

«Io e te non sco-pia-mo! FACCIAMO L'AMORE!»

«Lo fai sembrare una cosa un po' pallosa, scusa se te lo dico.»

«Mi dici sempre che una donna come me non l'hai mai incontrata» piagnucolò.

«Devo prenderti in parola. Cos'altro devo sapere? Siamo stati invasi dai marziani? C'è stata la guerra atomica?»

Rise coprendosi la bocca con la mano. «Scusa.» Continuò a ridere. «È troppo assurdo.»

«Mi sto divertendo un casino, infatti, ah ah ah.»

Monica fece due passi esitanti e quasi cadde nel camino. Sbronza dura. «Andiamo al pronto soccorso» disse. «Gli spieghiamo della scossa.»

«No.»

«Perché no?»

Cercai le parole. Non le trovai. Avevo solo una paura fottuta.

«Allora?» chiese.

«Lasciami in pace.»

Mi guardò con gli occhi iniettati di sangue. Che brutto effetto le faceva l'alcol. «Devi farti curare.»

«Ti ho detto di lasciarmi in pace! La testa è mia.»

Monica puntò un dito. «Tu non esisti. Lo vuoi capire? Tu sei solo un ricordo del cazzo. Un fantasma. Sei come… sei come… un vecchio film su una videocassetta. Ci hanno registrato sopra, e il vecchio film è solo un disturbo sullo sfondo. Sei come… *Terminator Uno* su cui hanno registrato *Terminator Tre*.»

«Hanno fatto il *Tre*?»

«Per qualche motivo… Lasciami continuare con la metafora se no mi perdo, *Terminator Tre* si è cancellato. E il vecchio film viene fuori. Ma è una roba antica. Patetica. Bisogna… registrarlo di nuovo…» Fece il verso di una videocassetta che si riavvolge, *frrrrr*.

«Fottiti.»

Alzò le braccia al cielo, poi si chinò verso di me. «Quanti anni pensi di avere? Dimmi un po', ragazzino.»

Esitai. «Devo calcolare…»

«Vieni qui che ti faccio vedere.» Mi afferrò per un braccio. «Dài, vieni.» Mi tirò nel corridoio e mi piazzò davanti a uno specchio con la cornice in bronzo. Altro pezzo da rubare, non fosse stato mio anche quello.

Al chiarore delle alogene feci quello che avevo sempre evitato sino a quel momento: mi guardai. Vidi un ciccione infagottato in un pigiama del cazzo. Avevo pochissimi capelli corti e grigi sulle tempie, una barba appena accennata e quasi completamente bianca, le rughe profondamente scavate sulla fronte, le borse sotto gli occhi. Non portavo più l'orecchino a cerchio che mi ero messo a diciassette anni al lobo destro per imitare Corto Maltese, il buco era cicatrizzato e chiuso. Arrotolai la giacca del pigiama. La pancia era molle e gonfia, con i peli bianchi attorno all'ombelico. Ero grinzoso, floscio, brutto.

Monica mi guardò trionfante. «Te lo dico io quanti

anni hai: quaranta. Qualsiasi cosa tu sia stato, non c'è più. E non tornerà.»

Distolsi gli occhi. Un altro punto per la stronza. E questo era bello grosso. Oh, sì.

Ci misi una buona mezz'ora per levarmela dai piedi, con lei che girava attorno al divano cercando di usare il *telefonino*, mi aveva spiegato cos'era, per chiamare un'ambulanza. Alla fine si lasciò spingere fuori. «Finché non guarisci, con te non ci esco più» disse sullo zerbino.

«Promesse, promesse.» Le sbattei la porta in faccia e rimasi da solo nella mia nuova casa da un milione di dollari. E crollai. Non fu una bella scena, quella che avvenne senza testimoni a parte il Gesù Cristo in croce. Mi rotolai per terra, mi presi a sberle, sbavai anche un pochino. La paura si era fatta insopportabile. Avevo il terrore di sparire. Di sciogliermi nel nulla. Di mostri fuori dalle finestra pronti ad azzannarmi. Quello non era il mio tempo, non era il mio corpo. Prima ero nel mio mondo e di colpo ero lì al posto di un altro. Se il pubblicitario fosse tornato io sarei sparito, sarei diventato un ricordo sbiadito. Sarei morto. Sentivo che stavo per morire, anzi, mi sentivo già incorporeo come un fantasma. *Dio Dio ti prego salvami.*

Poi la crisi passò. Ero ancora lì, ero ancora Santo Trafficante. Ed ero sbronzo marcio. Strisciai in giro finché trovai una camera da letto. Sembrava uscita dai *Sette samurai*, mobili giapponesi in varie tonalità di bianco. Mi lasciai cadere sul futon.

Sei nel futuro, bello, mi dissi. *Abituati perché ci dovrai restare per il resto della tua vita.* Adesso che mi stavo calmando, e l'alcol aiutava eccome, cercavo di guardare le cose da una nuova prospettiva. Va bene, ero invecchiato, e questo era terrificante. Ma sarebbe stato peggio se mi fossi risvegliato giovane e povero, in qualche dormitorio pubblico o in una cella. Cosa avevo da rimpiangere, in fondo? La mia casa no di certo, il mio vecchio neanche. Le volte che andavo a trovarlo dovevo sempre stare a distanza per evitare che mi prendesse a cinghiate. Probabilmente c'era rimasto secco guardando *Colpo Grosso* alla televisione.

Poi... Le tipe che vedevo non si meritavano un pensiero di troppo. Chissà com'erano adesso? Ingrassate, con figli, magari morte stecchite. Pace all'anima loro, non sarei andato di certo a cercarle.

Altro? I quattro o cinque con cui tiravo tardi al bar di Oreste o al Pois delle Colonne, il vicino con cui mi scambiavo i fumetti dell'*Uomo Ragno*, i concerti di Elio e le Storie Tese. Le repliche di *Magnum P.I.* Le vittorie dell'Inter. Tutto sommato, c'era poco da avere nostalgia. E avevo un sacco di soldi. Il pubblicitario si era fatto il culo, io mi sarei goduto i risultati. Quanto costava una puttana di lusso? Ne avrei noleggiate tre alla volta fino a quando mi avesse fatto male l'uccello. Avrei fatto il bagno nello champagne, girato i sette mari. E se i soldi del pubblicitario non fossero bastati potevo vendere un paio di mobili e rimettermi in attività. Anche nel mondo del futuro ero sicuro che il solito mercato funzionasse ancora. Potevo battere i vecchi posti fino a quando non trovavo qualcuno con la faccia giusta. Magari uno dei miei vecchi colleghi.

I miei occhi incrociarono quelli di Padre Pio, enorme sul muro, che mi benediceva con la sua manina fasciata e sanguinolenta. Ero sempre stato un fan di quel grande imbroglione, ma averlo come compagno di stanza era un po' troppo. Mi alzai a staccarlo, pesava un casino e rischiai di rompermi la testa con la cornice, e lo appoggiai nel salone. Quando tornai a sdraiarmi, i miei pensieri cominciarono a rosicare attorno a un problema nuovo. Che cazzo avevo combinato prima di trasformarmi nel signor Bravo Ragazzo? Se il pubblicitario fosse tornato a prendere possesso della sua testa, chissenefrega. Ma se rimanevo io a gestire la situazione, avrei dovuto saperlo. Non avevo idea di chi frequentasse ancora dei vecchi giri, e decisi che avrei dovuto fare al volo una visita all'unica persona (a parte Max) che una volta sapeva tutto di me: Ines. Ines era stata la magazziniera mia e di Max, per tutto quello che non volevamo tenere in casa. Suo marito doveva farsi vent'anni per rapina aggravata, e lei si arrangiava come poteva. Battendo, per lo più. La beccavo sempre con dei completini impressionanti di plastica rosa sopra la ciccia. E casa sua era sempre un casino, con il pavimento coperto di pezzi di cibo, biancheria sporca e le riviste che Ines leggeva aspettando i clienti, quasi tutti i pensionati del quartiere. Sperai si fosse tenuta aggiornata.

Ondeggiando tra terrore ed euforia mi addormentai, cullato dal mio letto extralarge. Più o meno nello stesso momento, uno sbirro della Scientifica stava studiando un cadavere che galleggiava a faccia in giù in una piscina. Non potevo saperlo, ma quel tizio morto avrebbe cambiato non di poco i miei programmi.

Secondo giorno

1

Mi svegliò una vibrazione ritmica proveniente dal comodino. Non aprii subito gli occhi e per un po' rimasi a chiedermi perché la luce sembrasse provenire dalla direzione sbagliata. Anzi, perché ce ne fosse. La mia stanza nell'appartamento di viale Monza aveva praticamente la finestra appiccicata al palazzo di fronte e il sole non riusciva a infilarvisi. Aprii gli occhi: il mondo del futuro era ancora intorno a me. E io ero sempre io, pubblicitario prendilo in quel posto. Però se fosse stato solo un brutto sogno non mi sarei lamentato.

La vibrazione si ripeté, e scoprii che proveniva dal mio *telefonino*. Ne avevo uno anch'io, ce l'avevano tutti a quanto pareva: il pubblicitario doveva averlo lasciato a casa prima di andare alla Scala. Lo presi in mano e vidi sullo schermo la scritta *ufficio* diventare *chiamata persa*. C'era anche l'ora, 10.25. Ufficio, da ridere.

Mi trascinai in bagno e qui fui costretto a guardarmi di nuovo. Facevo davvero schifo, avrei dovuto coprire gli specchi come le dive del muto. Oppure mettermi a dieta: al solo pensiero mi venne una fame da lupo. Da quanto non mangiavo?

La doccia era un cilindro di cristallo piazzato al centro del bagno e dentro aveva più leve e bottoncini della plancia di un aeroplano. Entrai e armeggiai con i comandi fino a quando i tubi gorgogliarono e venni frustato da una serie di getti gelidi provenienti da cento direzioni diverse. Sputacchiando premetti ancora e il getto divenne uno, dall'alto, che alla fine riuscii a regolare alla temperatura giusta. Sapone liquido marca Body Shop, *Non testato sugli animali*. Che buon cuore aveva il pubblicitario. Viveva nella casa di Elvis Presley, ma badava ai particolari. Quando chiusi l'acqua sentii un rumore provenire dal piano di sotto. Mi avvolsi in un accappatoio Missoni e mi sporsi a guardare dal ballatoio. C'erano due cinesi, uomo e donna sui trent'anni, che si sbattevano in giro con aspirapolvere e scopa. Pure la servitù, mi sembrava giusto.

I due alzarono la testa, stupiti di vedermi, io feci un cenno benevolente e ritornai in camera a cercare qualcosa da mettermi. L'armadio in bambù e carta di riso conteneva solo coperte e cuscini. Stavo già pensando di infilarmi di nuovo il pigiama da checca, quando scoprii che uno degli specchi era in realtà un pannello scorrevole dietro cui si nascondeva un guardaroba grande come il mio caro, vecchio monolocale. Trovai mutande e calzini in una cassettiera che saliva a zigzag come un serpente e, appesi nella cabina armadio su una rastrelliera a motore, una fila di completi. Premetti il bottone e gli abiti cominciarono a scorrere. Tutti uguali, tutti ugualmente neri. Poi passarono i bianchi, poi di nuovo la sezione nera. Rimasi a guardarli scorrere, indeciso se ridere o piangere. Ero diventato un pirla con gli anni, per fortuna adesso potevo rimediare.

Trovai un paio di jeans piegati su un ripiano, pieni di strappi e parti lise, anche se qualcosa mi fece pensare fossero nati così, già consumati per evitare la fatica a chi li comprava. Marca: Marité François Girbaud. Misi quelli e un maglione peloso direttamente sulla pelle nuda. Mentre mi infilavo un paio di Nike arancione brillante con delle suole da Star Trek, sentii qualcuno armeggiare in camera. Mi affacciai. Il cinese stava rifacendo il letto. «*Good morning, mister.*»

«Ciao.»

«*No job today?*»

Non mi ero sbagliato, parlava proprio in inglese, e si aspettava che lo capissi. Frugai tra i ricordi delle medie e trovai la traduzione di *job*. «Sono in ferie.»

«Ah. *Did I disturb you?*»

«Fai, fai.»

Scesi in cucina. La cinese stava pulendo il lavello. Neanche lei capiva l'italiano, e le feci capire a gesti che avevo fame. Lei sorrise, armeggiò con le chicchere e mi posò di fronte una tazza di broda nera e dei biscotti semitrasparenti. Annusai la broda, non aveva l'odore giusto.

La richiamai con uno schiocco delle dita. «Tipa: caffè. Comprende?»

Mi guardò strano e disse qualcosa in ostrogoto.

«*Italian, please.*»

«No piace?»

«No piace. Perché ciofec.»

«No orzo?»

Ecco cos'era. «No. *Real* caffè, *please.*»

Entrò il cinese maschio, con il mio telefonino in mano. «*Telephon call, mister.*»

Me lo passò. Lo schermo indicava *Monica*. Lo rigirai in mano, scoprendo che si apriva in due come un vecchio Grillo, solo grande un decimo. La voce di donna cominciò a pigolare. Sospirando, appoggiai il coso all'orecchio.

«Saint?» Monica parlava a bassa voce ma si sentiva meglio di quanto immaginassi. Un suono pulito, senza i fruscii di sottofondo dei telefoni con il filo. Forse erano migliorati anche quelli.

«Cosa vuoi?»

Abbassò ancora di più la voce. Aveva un tono strano, come avesse appena finito di piangere. «Come stai?»

«Al momento seduto al tavolo che cerco di convincere una cinese a farmi un caffè decente.»

«È filippina» disse in tono stanco. «Si chiama Maria, e il marito Rosario.» Fece una pausa. «Non sei guarito.»

«Ti chiamo io quando capita.»

Singhiozzò, dio che palle. «Per favore, Saint. Devi venire subito in ufficio. È importante.»

Assaggiai un biscotto. Sapeva di cartone. Lessi sulla scatola, *Cialde al kamut e farro*. Bella merda.

«Saint?»

Ah, già. «Sì?»

«Allora vieni?»

«No.»

«Saint, ti prego.» Altro singhiozzo. «È successa una cosa grave. Io non so come dirtelo ma…»

«Ecco, non dirmelo. Non dirmi più niente. Fatti suora, suicidati, trovati un altro fidanzato. Basta che sparisci.»

Richiusi il telefonino, sentendomi liberato. Maria mi porse un'altra tazza, guardandomi con apprensione. Assaggiai, caffè vero. Brava ragazza. Lo finii e me ne feci fare un altro e, a dispetto del sapore, spazzolai mezza scatola di biscotti. Mi mancavano le sigarette, avrei rimediato con il primo tabaccaio in zona.

Il cappotto riportato da Monica era rimasto sulla sedia del soggiorno dove l'aveva abbandonato. Lo infilai, controllando che in tasca ci fossero ancora le chiavi di casa: c'erano, Monica non mi avrebbe fatto un'improvvisata. Per sicurezza avrei cambiato la serratura. Dalla giacca della sera prima presi il portafoglio. Era di pelle, con una V di metallo cucita sopra, e visto che non era la mia iniziale immaginai fosse dello stilista. Il mio io attuale sembrava stare male senza una marca, ero stato fortunato a non trovarmene una tatuata sul culo. Dentro scoprii le famose carte di credito di cui parlavano gli sbirri la sera prima, con il mio nome sopra. Guardai la data di scadenza di quella grigia, la mitica Platinum: 2008. Mi fece impressione. Mi ero visto *Spazio 1999* e mi sembrava una data fantasticamente lontana. Adesso l'avevo superata. Possedevo anche una tessera magnetica con stampata la mia nuova faccia da fesso e il marchio Beagle & Manetti – la sede era in piazza Missori 8 – e un pass per la palestra Nuovi Dei. Non ci andavo molto, a giudicare dalla pancia che mi era venuta. Quando la rimisi via cadde sul tavolo lo scontrino di un bar: *caffè, 0,80.*

Zero ottanta di cosa? Uhmm. Lo capii tirando fuori i soldi. Sembravano quelli del Monopoli. *Euro?*

Andai a caccia del filippino. Stava pulendo la cenere del camino. Gli sventolai un biglietto sotto il naso. «Sono soldi, questi?»

Mi guardò confuso.

«*Money?*»

«*Yes.*»

«No lire?»

«No, *mister.*»

«Da quando? No, lascia perdere. Quanto valgono? *How much?*»

Rise. Ci riprovai. Alla fine capii che un euro valeva circa duemila delle vecchie lire. Nel portafoglio avevo due biglietti da cinquanta e due da cento, e qualche minutaglia. Più di mezzo milione dei miei tempi. Una volta avrei potuto camparci un mese, adesso chissà. Milleseicento lire un caffè, 'sti cazzi.

Nella tasca interna del cappotto trovai anche un libretto degli assegni, una penna stilografica Montblanc con fregi in oro e la patente ciancicata. Non era la mia vecchia, ma nella fotina ero ancora un giovincello scherzoso. Le chiavi dell'automobile erano sul tavolo del salone, attaccate a uno stemma della Porsche. La immaginai slanciata con i sedili in pelle, non vedevo l'ora di posarci le chiappe. Il telefonino vibrò ancora. Altra *chiamata persa.* Non guardai neanche di chi fosse e lo infilai in tasca. Era tempo di rimettere insieme un po' di pezzi.

2

Scesi ai box nel sotterraneo del palazzo in cerca della mia nuova carriola. Non riuscii a trovarla. C'erano almeno trenta garage identici, e nessuno si era sognato di mettere il nome sulle saracinesche. Provai a far partire l'antifurto pigiando sul telecomando appeso alla chiave d'accensione. Nada, nessun clacson chiamava papà. Non era il caso di provare tutte le serrature, passava troppa gente, per cui rinunciai e salii al piano terra. Il portinaio era un vecchio scheletrico con un cappello da tassinaro. Sedeva in una guardiola decorata con una fila di renne adesive e mi salutò con la mano ossuta quando passai, senza alzare gli occhi dalla "Gazzetta". Se sperava nella mancia per Natale avrebbe aspettato un pezzo.

Presi un tram che si fermava proprio sotto il mio palazzo, convincendomi che era un buon modo per ambientarmi. Mi sedetti al finestrino a guardare. La nuova Milano era molto più sporca, trafficata e puzzolente di quella che avevo lasciato. Un po' me n'ero accorto durante la corsa della sera prima, ma nello stato in cui ero non aveva avuto molta importanza. Adesso guardavo con occhi attenti. Mi sembrava di stare a New York: una marea di africani e cinesi sbucava da ogni angolo, vetrine piene di roba luccicante e costosa, palazzi coperti di pubblicità, e le modelle sembravano tutte delle tossiche tristi. Dalle strade erano sparite le auto scassate e rugginose che ai miei tempi erano state la maggioranza, sostituite da giocattolini a forma di uovo, piccole biposto bianche e nere, moto a quattro ruote, monopattini argentati, ciclomotori a forma di scarafaggio, tram enormi di plastica colorata. Quello su cui ero salito aveva le porte che si aprivano pigiando un bottone luminoso. Molto comodo, lento e ingombrante.

Appena trovato un posto libero, avevo visto correre verso il tram un ciccione infagottato in un cappotto cammello. Faceva *pant pant* con la faccia rossa per lo sforzo, agitando una mano, ma il guidatore l'aveva ignorato, chiudendo le porte e partendo come facevano sempre, secondo me con un certo gusto. Il ciccione si era arreso sul bordo del marciapiede, poi stranamente mi aveva fissato attraverso il vetro del finestrino. Sembrava incazzato con me.

Forse quel tipo lo conoscevo e c'era rimasto male che non ero sceso ad abbracciarlo. Dovevano esserci in giro un sacco di persone che il pubblicitario conosceva, amici e nemici. Si preannunciavano figure di merda a ripetizione.

Il tram fece capolinea dietro il Duomo. La chiesa era ricoperta da impalcature da cui sbucava la solita Madonnina di tolla. La piazza, invece, sembrava un presepe. Alberi di Natale, finte renne, una pista da pattinaggio a forma di laghetto ghiacciato: qualche bambino ci scivolava sopra a suon di valzer. Il monumento equestre scagazzato dai piccioni era circondato da giganteschi televisori a cristalli liquidi. Rimasi imbambolato a guardarli mentre mandavano la pubblicità schizzata di un videogioco. Era lontano anni luce dal *Wolfenstein* con cui avevo perso le notti accoppando i nazi o da qualsiasi altro giochino avessi mai visto. La tecnologia aveva fatto un bel salto, Obi-Wan Kenobi baciami il culo.

Incrociai un gruppo di turisti giapponesi che fotografavano con macchinette minuscole, pigiandosi attorno a un banchetto di cartoline e cianfrusaglie varie. Mi feci largo a spintoni e comprai una berretta di lana con scritto *I love Milano* e un paio di occhiali da sole avvolgenti. Li indossai e studiai l'effetto allo specchio che il bancarellaro mi reggeva davanti. Non ero proprio irriconoscibile ma quasi, poteva bastare. Mi incasinai con i soldi per pagare, sembravo uno di quei vecchi che ti fanno smadonnare se sono in fila alla cassa davanti a te, e usai le monete di resto, grosse e pesanti, per prendere un pacchetto di sigarette a un distributore automatico. La macchinetta me ne sputò fuori uno con una scritta enorme sul fumo che fa venire il cancro. Mi toccai, all'anima dei portasfiga. Il sapore, però, era rimasto lo stesso. Meraviglioso, ah!

Raggiunsi una fila di taxi candidi. Salii su uno che sembrava l'evoluzione di una Espace, molto più plasticosa e aerodinamica. I numerini del tassametro scorrevano luminosi sullo specchietto retrovisore. Un'altra miglioria.

«Dove andiamo, capo?» chiese il driver. I tassisti non li avevano migliorati, invece. Sembrava sempre ti facessero un piacere a pelarti i soldi.

«Via Ricciarelli.»

«Si va.»

Si va un paio di palle. Solo per uscire da piazza Fontana perse cinque minuti, tra svolte e sensi unici, e il viaggio durò quasi un'ora, a passo d'uomo in un traffico congestionato che neanche Hong Kong. Calcolando il cambio pagai una cifra spaventosa, e scesi di fronte al palazzo di Ines, in via Ricciarelli, vicino a San Siro. Era una zona che ai miei tempi tendeva allo sgarrupato, con i vecchi in canottiera e i bambini a tirarsi sassi tra le case popolari, mentre adesso si era data una lucidata. La notte prima mi era sembrato una cosa da nulla, e molto intelligente, rincontrare la mia vecchia amica. Adesso, però, mi stavano venendo dubbi a manetta. Fumai un'altra sigaretta per prendere tempo, poi mi detti una mossa e infilai le scale. Erano più pulite di come le avevo viste l'ultima volta. I muri erano stati dipinti di rosa brillante ed erano sparite le miriadi di scritte e disegni di cazzi. C'era anche un ascensore nuovo di pacca, ma me ne accorsi solo a metà strada, e a quel punto continuai a piedi. Con il fiatone. Merda, bel rudere ero diventato.

La porta di Ines era di un bel color marrone brillante, e c'era uno zerbino fresco di bucato davanti. Suonai. Mi aprì una ragazza in jeans, con la maglietta corta a scoprire un orecchino sull'ombelico. Guardai prima l'orecchino poi lei. Dovevo abituarmi alla nuova moda.

«Sììì?» chiese scocciata.

«Scusa. Stavo cercando una donna che stava qui, una volta. Si chiamava Ines.»

La ragazza si soffiò sulle unghie della mano destra. Se le stava dipingendo di nero, in tinta con il rossetto, ed era a metà del lavoro. «Mamma! Ti vogliono.»

Mamma?

Quando Ines arrivò, quasi non la riconobbi. Era diventata magra. Il volto svuotato come una prugna secca e i capelli grigi legati dietro la nuca la facevano somigliare a una di quelle beghine che vedi andare a messa la mattina presto. «Desidera?»

Improvvisamente mi mancavano le parole. «Io...»

La vidi deglutire. «Trafficante? Sei tu?»

Non riuscivo a dire niente. Lei allungò una mano a sfiorarmi il viso, ma bloccò il gesto a metà. «Santo... Sei cambiato. Sei diventato un signore.»

«Gli anni passano.»

«Eh...»

«Mi fai entrare?»

Guardò dietro di sé. «Cosa vuoi?»

«Soltanto fare due chiacchiere.» Indicai dentro. «Posso?»

«Aspetta, vengo io. Mia figlia...»

«No problem.»

Mentre si infilava il cappotto, cercai di giudicare la sua reazione. Sembrava spaventata. Scendemmo in un bar che una volta era una ferramenta. Ordinammo due birre e accesi una sigaretta. L'oste urlò da dietro il banco. «Amico, non si fuma.»

«Dove siamo? In ospedale?»

«Vallo a dire a chi ha fatto la legge.»

La buttai sul pavimento e la spensi col tacco. Ines si mordicchiava la catenina, senza dire niente.

«Non sapevo avessi una figlia» le dissi.

«Era in affido. Ma sono riuscita a riaverla.»

«Tuo marito? È uscito?»

«Aveva un cancro ai reni. Me l'hanno rimandato a casa a crepare.»

«Mi dispiace.»

«È la vita. Come mai sei venuto, Santo? Io sono fuori da tutto, adesso.»

«Da quanto non ci vediamo?»

Il suo nervosismo aumentò. «Perché me lo chiedi?»

«Per favore, non farmi domande.»

«Saranno dieci anni.» Tantini, più del previsto. «Eri venuto a cercare Max.»

«Max?»

«Sì. Sei arrivato a casa mia una notte, completamente fuori di testa. Avevi del sangue in faccia, sembrava che ti avessero spaccato il naso, e gridavi che volevi trovare il tuo amico. Si era fregato i tuoi soldi e cose così. Io non lo vedevo da un pezzo, ma tu non ci hai creduto e mi hai ribaltato la casa. Mi ci è voluto un po' per buttarti fuori. E sei rimasto a gridare sul pianerottolo fino a quando sono usciti i vicini e vi siete mandati a fare in culo.»

«Allora è stato quattordici anni fa, ad agosto.»

«Come dici tu.»

«E dopo non ci siamo più visti?»

«No. Avevo della roba tua in casa, ma non sei più passato a prenderla.»

Abbassai la voce. «La coca?» Gliene avevo lasciato quasi mezz'etto.

«Quella. Alla fine l'ho data via, mica potevo tenerla lì per sempre.»

Non mi stava raccontando palle. Lo sentivo. Ma lasciarle la coca... «Tu sai perché non sono più venuto a trovarti, Ines?»

Abbassò gli occhi. «No.»

Stavolta mentiva e glielo dissi. Lei saltò in piedi e avrebbe imbucato la porta se non l'avessi trattenuta per un braccio. «Che ti piglia?»

«Niente. Devo tornare da mia figlia.»

«Ci vai dopo da tua figlia, Ines. Non farmi incazzare e dimmi la verità.»

Ines guardò l'oste, per niente interessato ai nostri guai, e capì che da quella parte non poteva ottenere aiuto. Si sedette. Tremava come una foglia. «Giurami che qualsiasi cosa ti dico non mi farai del male.»

«Per chi mi hai preso?»

«Giura.»

«Giuro.» Non ci capivo un fico secco. «Allora?»

«È per quello che ti è successo.»

«E cosa mi è successo?»

«Non ti ricordi più? Davvero?»

Un brividino gelido mi scese lungo la schiena. «Rispondimi.»

«Ti hanno messo in manicomio, ecco cosa.»

3

Fu un colpo, devo ammetterlo. Cercai di nascondere il mio disagio tuffandomi nella birra, ma avevo la gola chiusa e quasi mi strozzai. *Cazzo*. In manicomio. Ci credo che ero sparito dalla circolazione. «Perché mi hanno rinchiuso?»

«So solo quello che mi hanno raccontato, ma potrebbero essere una marea di stronzate.»

«Va bene lo stesso.»

La storia era questa, per come la sapeva lei. Un bel giorno una pattuglia degli sbirri mi aveva trovato che deliravo con i calzoni pieni di merda. Prima mi avevano portato in ospedale, poi, visto che continuavo a essere fuori di testa, al manicomio. Quanto fossi stato in cura Ines non lo sapeva. Non sapeva neanche che mi avevano lasciato andare. Quando mi aveva visto sulla porta di casa, era convinta fossi appena uscito.

«E Max?»

«Max cosa?»

«Dov'è finito?»

«Ha smesso di farsi vedere in giro. Se ti ha fregato i soldi, sarà andato da qualche parte a sputtanarseli. O magari gli hanno spaccato un'altra volta le gambe, aveva buffi con un sacco di gente. Comunque, lui non aveva lasciato niente da venirsi a prendere.»

Finii la mia birra, Ines continuava a non toccare la sua. Presi il portafoglio e ne tirai fuori un biglietto da cento. «Per il disturbo» dissi allungandolo a Ines.

Non li toccò. «Non voglio i tuoi soldi.»

«E cosa vuoi?»

«Che non ti fai più vedere. Ho smesso di fare la vita, non so se mi spiego.»

Annuii. «Ti sei spiegata.»

Filò via, io ordinai una sambuca. In manicomio. Possibile che la botta in testa fosse stata così forte? Ero mezzo sbronzo e fatto quando Max mi aveva preso a legnate, e che avessi sbraitato a casa di Ines era abbastanza comprensibile. Ma poi? Avevo continuato ad andare in giro urlando fino a quando mi avevano preso? Bevvi la mia sambuca senza sentirne nemmeno il sapore, mentre cominciavo a pensare che forse l'amnesia era solo il primo segno che il cervello mi stava andando in tilt un'altra volta. Forse tra un po' sarei tornato a fare puzzle con la mia merda. L'eco della paura della sera prima tornò a farsi sentire. Tutto poteva sparire in uno sbuffo di fumo: il bar, il tavolo dove ero seduto. Sarei volato via e non sarei più tornato. Mi ficcai le unghie nei palmi e il dolore mi richiamò alla realtà. Non stavo sparendo. Ero vivo, respiravo, ragionavo. Ma fino a quando?

Mentre ci riflettevo, in uno stato d'animo immaginabile, vidi un'ombra scivolare dall'altro lato della strada. Mi convinsi che aveva qualcosa di familiare. Pagai e uscii a guardare.

Si era alzato un vento gelido e umido, il cielo era scuro. Sul marciapiede all'altro lato della via un tizio camminava tenendo chiuse con le mani le falde del cappotto cammello. Era il ciccione del tram. Non dubitai fosse lì per me, e con l'umore fetido che mi ritrovavo sentii montare la rabbia. Gli corsi incontro e lo afferrai da dietro per il cappotto. La mia idea era di rigirarlo e tirargli un cazzotto sul muso, ma pesava una tonnellata e il mio corpo non rispondeva come avrebbe dovuto. Mi sembrava di muovermi immerso nell'acqua, tanto ero goffo e lento. Il ciccione mi respinse con una manata e caddi sul marciapiede. «Denti, ma che combina?» chiese stupito.

Mi rialzai e gli andai sotto. Gli allungai un pugno. Lento, troppo lento. Lo parò con facilità, poi mi afferrò per le braccia tirando la mia faccia verso la sua. Sotto la ciccia nascondeva muscoli buoni, a differenza dei miei.

«Adesso basta.»

«Mollami.» Cercai di tirargli una ginocchiata, lui mi spinse via.

«Basta, cazzo.»

Lo guardai ansimando. Non potevo farcela contro di lui. Mi calmai.

Tenendomi d'occhio, il tipo si asciugò le labbra con un fazzoletto di carta. Era di quelli che si riempiono di bava bianca, come il mio professore di applicazioni tecniche delle medie. Lo scansavamo tutti per via del fiato fetido.

«Al cellulare non rispondeva e al suo ufficio mi hanno detto che era a casa. L'ho vista uscire e le sono venuto dietro» disse il ciccione. «Se la cosa l'ha irritata mi dispiace, ma devo levarmi dai piedi per un po', e voglio chiudere gli affari in sospeso con lei.» Appallottolò il fazzoletto e se lo infilò in tasca.

«Abbiamo degli affari in sospeso?»

«È ubriaco per caso? Su, andiamo.»

«Dove?»

«Nel mio ufficio. Non si preoccupi, saremo solo io e lei.»

«E se non volessi?»

«Sarebbe spiacevole.» Sentivo ancora la presa delle sue mani sulle braccia. Erano larghe e con il pollice a martello. Un fricchettone che leggeva le carte alla fiera di Senigallia mi aveva raccontato che il pollice a martello è un chiaro segno di tendenze omicide. Non gli avevo dato credito, fino a quel momento. Potevo girare sui tacchi e darmela a gambe, ma il ciccione sapeva chi ero e dove abitavo, mentre io non avevo nemmeno idea di chi fosse. Mi toccava seguire il verso del legno.

«D'accordo» dissi.

Sorrise, mostrando i denti coperti di una patina verdastra. Aveva l'auto parcheggiata a pochi metri, una Fiat Stilo sporca fuori e dentro puzzolente di sigarette. Mentre mi scarrozzava in giro, spiegò di aver seguito il mio tram sino al capolinea, e di avermi perso tra piccioni e turisti.

«Ma immaginavo avesse preso un taxi e sono riuscito a farmi dire quale dai colleghi. Fa parte del mio mestiere scoprire le informazioni giuste. Dovrebbe saperlo.»

Dal modo di fare, immaginavo che il suo mestiere non fosse di quelli che si scrivono sul biglietto da visita, ma quando arrivammo al suo ufficio, in un palazzo a fianco di un cantiere ingombro di macerie e ruspe, dovetti ricredermi. Aveva una bella targa sul citofono e il disegno rappresentava un tizio con una lente d'ingrandimento, fatto da qualcuno con poca mano. Sotto, la scritta diceva: *Agenzia Investigativa Poirot*. Un detective privato. *Poirot*, da ridere se non mi stessi cagando sotto.

Il detective digitò un codice su un tastierino per disinnescare l'allarme – spiai da dietro, 0000 – e aprì la porta su una stanza di cinque metri quadrati puzzolenti di calze sporche, con due scrivanie e due computer già vecchi ai tempi. Sembrava stesse sbaraccando, perché sul pavimento della stanza c'erano una pila di carte e raccoglitori tolti dagli scaffali senza troppo riguardo.

Mi fece sedere davanti a una delle scrivanie su una poltroncina cigolante e mi scrutò, nel suo impataccato completo a righine. La sua espressione mi ricordò quella del cane che avevo avuto una volta: Spillo. Spillo era piombato nella mia vita una sera di primavera, correndomi incontro sotto casa come fossimo vecchi amici. Era un bastardino, poco più grande di quei cagnolini che vedi in braccio agli antenati dipinti nei musei. Gli incroci lo avevano dotato di zampette corte e di un corpo a forma di salsiccia, coperto di pelo lungo color bianco sporco. Un orecchio era tagliato a metà, e non sembrava l'effetto di una rissa, quanto il lavoro di un chirurgo o di una carogna che aveva voluto divertirsi. Non aveva il collare e non c'era nessuno in giro. Me l'ero portato a casa d'impulso, anche se non avevo avuto mai un animale prima e non ne avrei mai avuto un altro dopo.

La principale caratteristica di Spillo era quella di essere un grande esperto dell'animo umano, e decideva da subito chi gli stava simpatico e chi no; di solito, chi non gli piaceva, per qualche motivo non piaceva neppure a me. Per esempio odiava gli sbirri, gli abbaiava anche se li vedeva passare sotto la finestra. Spillo era morto dopo neanche un anno, l'avevo trovato una mattina sotto il mio letto, dove era andato a tirare gli ultimi in silenzio. Adesso, l'espressione del tizio era uguale a quella di Spillo quando si trovava di fronte a quei rari casi in cui non sapeva decidersi se ringhiare o fare le feste. Non avevo un altro nome da usare, e assegnai quello al ciccione.

«Ha con sé il libretto degli assegni?» disse Spillo.

«Sì.»

«Ne intesti due a se stesso, e li giri. Li userò per coprire dei debiti, con persone che non c'entrano con lei, e molto discrete. Se le chiedono qualcosa, dica di averli giocati al casinò di Campione. Alla roulette.»

«E quanto avrei perso?»

«Diecimila. Come d'accordo.»

«Diecimila *euri*?»

«È un po' tardi per contrattare. Il lavoro l'ho fatto ed è da un mese che aspetto il saldo.»

Venti milioni di lire. Qualsiasi cosa avesse fatto Spillo per me, doveva essere stata impegnativa. O illegale.

«La avviso che da domani non sarò più qui» continuò Spillo «e non risponderò più ai numeri che conosce. Se ha un'emergenza, passi da Esposito come la prima volta. Lui sa come rintracciarmi. Ma è meglio se evitiamo.»

Continuavo a non capirci un tubo, ma preferivo non farmi vedere disorientato. Esposito era un cognome già sentito, ma era anche uno dei più diffusi in Italia, per cui non stetti a rifletterci troppo. Presi il libretto e svitai con una certa difficoltà il cappuccio della Montblanc. Forse il pubblicitario la teneva solo per fare scena e si era arrugginita. Scriveva anche male, ma la usai comunque per fare i primi assegni della mia vita. Spillo li controllò e li mise in tasca. Poi si alzò e staccò dalla parete un quadro con un lago circondato di alberi, rivelando una cassaforte nascosta, di quelle a combinazione. Aprì lo sportello e mi lanciò una busta. «L'ultima tranche» disse. «Anche se mi ha detto che non le servono più, ha pagato e sono suoi.»

Scollai il lembo gommato aspettandomi qualsiasi cosa, ma la sorpresa fu modesta. Conteneva solo una decina di fogli formato A4 con quattro colonne di numeri. Numeri di telefono, capii, anche se avevano prefissi strani. Per ogni numero era segnata la durata della chiamata e la data. Uno sbirro privato, un elenco di telefonate. A quanto pareva il pubblicitario aveva fatto mettere sotto sorveglianza qualcuno, pagando salato. Sul retro del primo foglio trovai il destinatario di tante attenzioni. C'era solo il cognome: Roveda, seguito dalla parola in corsivo *utenze*. L'unico Roveda di cui mi ricordassi era un tossico che suonava la chitarra al parco di Trenno, ma dubitavo che fosse quello.

«Fossi in lei, li butterei via subito. Scottano parecchio, adesso. Più di prima.»

Di prima quando? Misi la busta arrotolata nella tasca del cappotto e uscii dal palazzo. Solo allora riconobbi la zona. Il cumulo di macerie dove scavavano le ruspe era stata una volta la stazione di Porta Vittoria. La scoperta peggiorò ulteriormente il mio umore. Un altro pezzo della mia Milano era stato macinato dalla storia, mi sembrò di cattivo augurio. Finalmente un tassista decise di notare la mia mano alzata; accostò al marciapiede e la portiera si aprì da sola, scivolando all'indietro. Mi aspettai che si mettesse a volare come un hovercraft, ma non fu così e viaggiai normalmente nella strada intasata, talmente scazzato che non guardai neppure il favoloso mondo nuovo. Ne avevo abbastanza di novità: ce ne fosse stata una buona. A darmi un minimo di sollievo era il pensiero che la giornata non poteva andare peggio di così. Ma mi sbagliavo. Quando arrivai a casa, c'era la polizia ad aspettarmi.

4

Gli sbirri stavano uscendo dal mio appartamento, e li riconobbi nonostante dissimulassero sotto abiti borghesi la loro anima fetente. Quando ti tocca stargli lontano, impari a nasarli, a riconoscerli dall'anda e dai modi. Il primo, sulla cinquantina, aveva i baffi grigi e l'aria del terrone incazzato, l'altro, più giovane, sembrava il garzone di un barbiere. Rosario stava richiudendo la porta ossequioso ma la spalancò di nuovo quando mi scorse mentre mi giravo per scappare. «*Good evening, mister.*» Poi aggiunse: «*The police*».

«L'avevo capito.»

Il terrone allungò la destra. «Il dottor Santo Denti?»

«Sì.»

«Augusto Ferolli, vicedirigente della Squadra Mobile di Milano. Lui è il commissario Brambilla.» Anche Brambilla mi strinse la mano. «Possiamo entrare e parlarle cinque minuti? Se non le dispiace...»

Mi dispiaceva parecchio. «Accomodatevi» dissi.

Li feci sedere sul divano del soggiorno, chiesi scusa un momento e corsi in bagno. La busta mi bruciava in tasca, mi sembrava che gli sbirri potessero annusarla. Tirai l'acqua dello sciacquone e la nascosi dietro l'armadietto del lavandino. Controllai non sporgesse e tornai dai due.

«Scusate, ma quando scappa scappa.»

«Ci mancherebbe» disse Ferolli.

Mi sudavano le mani. «Uhmm, posso offrirvi un caffè, un whisky?»

«No, grazie.» Ferolli aveva un forte accento siciliano. «Ci scusi se ci siamo presentati così, ma alla sua azienda ci hanno detto che non stava bene.»

«Già. Ma poi mi sono sentito meglio e sono andato a fare due passi.»

«Capisco.»

«Non ditelo in ufficio, eh?»

Gli strizzai l'occhio, Ferolli rimase di pietra. «Non sono affari nostri. Lei immagina perché siamo qui, naturalmente.»

«Ho lasciato l'auto in sosta vietata? Eh eh eh.»

Non sorrisero nemmeno. «No, dottor Denti. Mi dispiace allora di doverle dare una brutta notizia.» Fece una pausa. «Ieri sera» disse con voce grave «i nostri colleghi di Genova hanno rinvenuto il corpo senza vita del dottor Roveda.»

Mi fissò studiando le mie reazioni. *Roveda! I tabulati!* Ecco perché Spillo stava facendo fagotto. «Merda. Volevo dire... È... è un colpo per me.» Eccome.

«Possiamo immaginarlo, vero Brambilla?»

Chiamato in causa, Brambilla annuì comprensivo.

Mi coprii la faccia con le mani. Dovevo piangere? Strapparmi i capelli? Decisi per un gemito intermedio. «Come è successo?»

«L'hanno ucciso, dottor Denti.»

«È... è sconvolgente. Era ancora così... giovane.»

63

Brambilla tossicchiò. «Be', proprio giovane a settant'anni...»

«Volevo dire giovanile. Per la sua età.» Adesso sudavo davvero. «Chi è stato?»

«Ci piacerebbe saperlo.» Ferolli estrasse un pacchetto di Nazionali. Esistevano ancora, incredibile. «Posso fumare?»

«Certo, sì, anzi.» Tolsi anch'io una sigaretta dal pacchetto e al quinto tentativo l'accesi. Mi guardai in giro in cerca di un posacenere, non ce n'era manco mezzo. E già, il pubblicitario non fumava. «Rosario, Rosario!» Ai due sbirri: «La servitù di oggi...».

«I suoi camerieri sono usciti mentre lei era in bagno.»

«Oh, va be'. Butti pure per terra.»

«Ma no, aspetti.» Ferolli tolse l'ultima sigaretta dal pacchetto e lo usò come portacenere.

«Tanto li pago per pulire, no? È marmo, mica si rovina.» Ero uscito un po' dal ruolo, feci un sospiro. «Roveda...»

Ferolli non si commosse. «Dottor Denti, quando ha visto il dottor Roveda per l'ultima volta?»

«Uhm, così su due piedi... Senta sono troppo sconvolto, non possiamo...»

Brambilla estrasse un taccuino. «Ci hanno detto che ha avuto una riunione con lui venerdì scorso.»

«Riunione?»

«Alla sua azienda.»

«Ah, già, giusto.»

Ferolli: «Posso chiederle qual era l'argomento?».

Mi cadde la brace sui pantaloni. «Cazzo.» Mi spazzolai. «Mah, robe di lavoro.»

«*Argomenti inerenti all'attività professionale*» tradusse Brambilla scrivendo.

Ferolli: «Può essere più specifico?».

Sembrava quando avevo dato l'esame di maturità. «Ma sa, noi ci occupiamo di pubblicità. C'era, sì, c'era... una réclame.»

«Una réclame?»

«Per un... detersivo... Lava più bianco e quelle cazzate lì.»

«Ci hanno detto che la riunione riguardava l'organico aziendale.»

Oddio. «Sì, un detersivo *e* l'organico aziendale.»

Ferolli spense la sigaretta nel pacchetto. «E in quella riunione il clima era, come possiamo dire, un po' teso?»

«Ma no.» Li guardai. «Forse un po'?» Stavo facendo schifo.

«Ci hanno riferito che il dottor Roveda ha alzato molto la voce. Con lei. C'è stata, come dire, l'impressione di un litigio.»

«Le assicuro...»

«Lei è uscito sbattendo la porta. Le hanno sentito dire... leggi Brambilla.»

«*Quel vecchio di merda.*»

Ma nessuno si faceva i cazzi suoi alla Beagle & Manetti? Allargai le braccia, sconfitto. «Allora sarà vero.»

«Questo non vuol dire nulla, naturalmente» disse Ferolli. «Non si senta messo alle strette. La nostra è una conversazione amichevole. Ci servono solo delle informazioni.» Mi sorrise, falso come Giuda.

«Non mi sembra molto amichevole, se lo lasci dire.»

«Da allora, non l'ha più incontrato?»

«No.»

«Ne è certo?»

Era una domanda trabocchetto? «Sì.»

Mi fissò, ressi lo sguardo. Alzò le spalle. «Le risulta avesse nemici?»

«No. Era benvoluto da tutti.»

«Veramente…»

Ferolli zittì il suo compare con un cenno della mano. «Benvoluto?»

Perché la terra non si apriva sotto i miei piedi facendomi sprofondare? Perché un fulmine non mi inceneriva? «Nei limiti…» ansimai.

«Nei limiti. Scrivi Brambilla.»

«Ritiene che i rapporti del defunto con suoi conoscenti fossero discretamente buoni.»

Ferolli: «Però sapeva, dottor Denti, che le ultime decisioni del dottor Roveda lo avevano reso inviso a una buona fetta del personale».

Naturalmente no. «Naturalmente sì.»

«Lei stesso le aveva criticate in più di un'occasione.»

Stavo perdendo le energie. Annuii.

«Dottor Denti, ieri notte lei è stato riaccompagnato a casa da una volante. Posso chiederle che cosa era successo?»

«Mi sentivo poco bene.»

«Il rapporto degli agenti dice che lei era… leggi Brambilla.»

«In stato confusionale.»

«Va be', ero ubriaco. Capita ogni tanto. A lei no?»

«No. A me no» disse Ferolli.

«Ti pareva…»

Ferolli si tolse una briciola di cenere dai calzoni. Erano marroni di lana, con la riga a lama di coltello. «Vede, dottor Denti, quando qualcuno si comporta in modo inconsueto subito dopo che è avvenuto un fatto di sangue, noi siamo costretti a chiederci per quale motivo.»

«Costretti, eh?»

«Costretti. È il nostro dovere. Posso chiederle cosa ha fatto domenica pomeriggio?»

Aprii e chiusi la bocca come un pesce.

Ferolli fece ancora la sua merda di sorrisetto. «È una domanda semplice. Sono passate solo poche ore.»

Semplice per tutti tranne che per me. «Io...»

«Lei?» disse Brambilla pronto a scrivere.

«Io...»

Entrambi si protesero a guardarmi in attesa. Le fauci di Ferolli si aprirono pregustando il boccone. E il boccone ero io. Mi avevano messo in mezzo, mi stavano fregando. Se volevo salvarmi, adesso dovevo uscirne. Subito. Mi costrinsi a prendere un tono di voce grave. «Io sono indignato.»

Ferolli si irrigidì. «Prego?»

«Mi ha sentito. Sono indignato. Mi state trattando come... come un delinquente.»

Mi alzai in piedi e puntai un dito accusatore contro il terrone. Ero un pezzo grosso, adesso, un pilastro della comunità. Quelli come me gli sbirri li facevano correre. In mancanza di meglio mi ispirai a una scena di *Dallas*, con JR messo con le spalle al muro. «Lei sta insinuando che io, io!, potrei essere implicato nell'omicidio del dottor Roveda, un uomo che per me era... era quasi un padre. Sono costretto a chiedervi di andarvene.»

Ferolli aveva l'espressione di chi non crede alle proprie orecchie. Il verme si era ribellato poco prima di farsi schiacciare. «Sta parlando sul serio?» chiese.

Incrociai le braccia per non far vedere il tremito nelle mani. «Secondo lei? La strada la sapete.»

«Come vuole. Andiamo Brambilla.» Si alzarono.

«Temo che toccherà a lei venire a casa nostra, la prossima volta.»

«È una minaccia? I miei legali la spelleranno vivo.»

«Solo una previsione.»

Rimasi in posa finché furono usciti, poi mi accasciai sul divano. Ero in un bagno di sudore. Mi scolai due whisky e corsi a cercare Monica.

5

La Beagle & Manetti possedeva un intero palazzo di cinque piani, con un logo enorme dipinto sulla facciata principale: sembrava un maiale con un fiore sul naso. Aspettai all'angolo, congelandomi nella pioggerellina acida che aveva cominciato a cadere. Ogni tanto usciva qualcuno dalla porta principale, di solito giovanotti abbronzati fuori stagione e tizie ben vestite. Quando venivano nella mia direzione mi schiacciavo dentro un portone, saltando un barbone che se la ronfava avvolto in una coperta cenciosa. Il suo puzzo mi tenne compagnia per due ore buone. Alla fine Monica uscì, proteggendosi la testa con un giornale. La seguii fino a quando non fu distante un centinaio di metri dall'azienda, poi le battei sulla spalla. «Cucù.»

Lei fece uno zompo e quasi sbatté la testa contro un lampione. «Santo!»

Portai un dito alle labbra. «Sst, ti possono sentire. Devo parlarti.»

Si voltò e riprese a camminare battendo i tacchi. «Sparisci.»

Le andai dietro. «Ti prego.»

«*Fatti suora.*»

«Non parlavo sul serio.»

«*Suicidati!*»

«Ero teso.»

«Ah!»

«Ti prego, tesoro, tesorino, amore.»

Si voltò. «Come osi prendermi in giro. Tu, fantasma, tu relitto del passato. Tu...»

«Hai ragione. Ma devi capirmi. Io... volevo solo allontanarti da me. Per proteggerti.»

Riprese a camminare. *Tic tic tic* sul marciapiede. «Sciò.»

Mi parai davanti a lei costringendola a fermarsi. «Va bene, sono stato uno stronzo. Ma se mi molli adesso, finisco in galera.»

«Perché dovrebbe importarmi?»

«Perché sono il tuo fidanzato. Malato e bisognoso di aiuto.»

Resse per qualche istante prima di chinare il capo. «Santo...»

Sarei stato pronto a inginocchiarmi in una pozzanghera, ma non ce ne fu bisogno. Mezz'ora dopo sedevamo nel soggiorno del mio appartamento, sul divano dove la prima sera avevo cominciato a capire in quale guaio mi ero cacciato. Eravamo arrivati con l'auto di Monica, una due posti microscopica che mi sembrava impossibile non si ribaltasse a ogni curva. *Smart.* Le mancava solo la carica a molla. Raccontai a Monica la visita degli sbirri.

«Ti sei cacciato in un guaio» disse Monica.

«Mica scherzavo prima.»

«Devi dirgli tutto, Saint. Della tua amnesia.»

«Al posto loro non lo troveresti un po' sospetto? Una bella amnesia proprio il giorno che hanno ammazzato Roveda.»

«Ma tu sei innocente. Sei innocente, *vero*?»

Le presi la mano e la fissai negli occhi. «Certo.»

Non l'avevo detto con il tono giusto, Monica ritirò la mano e si raggomitolò contro lo schienale. «Non lo sai.»

«Fai andare il cervellino, per favore. Come faccio a saperlo? Non so neanche chi cazzo fosse Roveda.»

«Mariano era l'amministratore unico della B&M. Il tuo capo, in parole povere.»

«Perché la polizia mi sospetta?»

«Sicuro che ti sospetti?»

«Dovevi vedere la faccia di quei tizi. Avessero avuto mezza prova in mano sarei già a San Vittore.»

«Tutti sanno che tu e Mariano non andavate d'accordo. Non più. Da quando sei mesi fa ha chiuso un progetto a cui avevi dedicato tempo e risorse dell'azienda.»

«Quale?»

«Pubblicità pushing sui cellulari con geolocalizzazione.»

«In italien, per favore.»

Sospirò, guardandosi la punta dei piedi. Si era tolta le scarpe e potevo vedere le sue belle dita affusolate, con le unghie smaltate di bianco. In un altro momento avrei apprezzato, sono sempre stato un fanatico dei bei piedi. «Sai come funziona il tuo telefonino?»

«Non lo so neanche accendere.»

«A grandi linee, si collega via onde radio a dei ripetitori. Se vai in giro li vedi, antenne con dei piatti bianchi.»

«Sembrano dei radar?»

«All'incirca.»

«Ok. Spuntano da ogni buco.»

«Ora, se tu sei in una determinata zona della città, il tuo apparecchio lo sa e lo sanno anche i sistemi informatici della compagnia telefonica. A quel punto, è possibile far sì che il tuo telefonino riceva informazioni commerciali mirate. Per esempio, ti può dire dove ci sono dei saldi o delle offerte speciali, cosa danno al cinema, qual è il menu del ristorante più vicino.»

«E ti arriva una telefonata?»

«Macché. Un SMS.» Sospirò. «Un messaggio di testo. Si possono mandare con i telefoni, si usano più quelli della voce, ormai.»

«E perché?»

«Non chiedermelo.»

«In ogni caso, scritti o a voce, mi sembra un'orribile rottura di coglioni.»

«Non la pensavi così fino all'altro ieri. Comunque, Mariano lo considerava un buco nell'acqua e ha fatto saltare tutto. E tu…»

«Ho reagito male.»

«Sì. Hai perso la faccia. E non c'è solo quello.»

«C'è pure dell'altro!»

«Tu sei il direttore creativo, come dire che sei il responsabile di quello che la nostra agenzia vende. È un ruolo molto delicato e devi avere la fiducia del consiglio dell'azienda.»

«E non ce l'avevo più?»

«Girava voce che Mariano stesse cercando qualcuno per prendere il tuo posto.»

Mi presi la testa tra le mani. «Che casino. Che casino! Ho anche il movente.»

«Mi dispiace.»

«Tu sai dov'ero ieri pomeriggio?»

«Mi hai detto che sei stato a casa.»

«Ma non lo sai.»

«No. Hai detto che dovevi lavorare un po' per conto tuo. Eri di cattivo umore. Ci siamo visti poi per la Scala. Sono passata alle sette e tu mi aspettavi sul marciapiede.»

Allungai un braccio, glielo misi sulle spalle. Lei mi guardò con gli occhioni tristi. «Santo.»

«Puoi chiamarmi Saint. Sai che mi ci sto quasi abituando? È dolce...»

«Saint...»

La tirai verso di me e le diedi un bacio sulla fronte. «Tesoro, potresti dire agli sbirri che siamo stati assieme tutto il giorno, vero? Anzi, che hai dormito qui.»

Lei mi spinse sul pavimento. «Troppo tardi, Santo. Ci ho già parlato.»

«Cazzo! Ma non ti è venuta in mente la situazione in cui sono?»

«Oh, sì, ci ho pensato eccome. Stamattina» disse gelida. «Stavo male per quello che era successo, ma pensavo a te. Volevo incontrarti per, non so, concordare qualcosa, ma tu mi hai mandato a quel paese. Ti ricordi?»

«Dovevi insistere!»

«Ti ho telefonato *dieci* volte, anche dal bagno, con loro che mi aspettavano fuori. Che altro potevo fare? Dimmelo!»

«Va bene. Sono fregato. Colpa mia.» Mi alzai e cominciai a passeggiare furiosamente per la stanza. «Non ho alibi, ho il movente e...» *I tabulati, Spillo.*

«E cosa?»

«Niente.» Mi appoggiai con la schiena al muro,

sotto il crocefisso. Sperai si staccasse e mi uccidesse sul colpo, risparmiandomi quella pena.

«Se sei innocente, non devi preoccuparti.»

«Ma davvero? Le galere sono piene di fessi che ne erano convinti.» Andai all'armadietto dei liquori. La bottiglia di whisky era vuota, tolsi la ceralacca da un cognac vecchio di mille anni. Mi versai un bicchiere colmo, e aggiunsi un paio di cubetti di ghiaccio presi dal minifrigorifero nascosto.

«Non ci va il ghiaccio nel cognac» disse Monica.

«Ah, una cosa importante da sapere in questo momento. E poi? Non devo pulirmi con la tovaglia? Niente vino rosso con il pesce?»

«Il Santo che frequentavo lo saprebbe. Non capisci che è questo il problema?»

Feci fuori il bicchiere in due sorsate. Dio, come mi mancava qualcosa che mi aiutasse a far girare meglio il cervello. Un po' di coca, un briciolo di amfetamina... «No, non lo capisco.»

«E allora te lo spiego io. Quello che sei adesso non ha alcuna possibilità di salvarsi. Qualsiasi cosa tu faccia e dica ti renderà solo più sospetto. Sei sparito dal lavoro, ti comporti come uno scaricatore di porto!»

«E allora?»

«Allora devi guarire, Santo. Devi tornare quello che eri.»

«Ah, devo tornare quello che ero?» Spaccai il bicchiere tirandolo contro il muro, poi ne presi un altro e mirai il televisore. Lo schermo si bucò scoppiettando. Il pubblicitario sarebbe tornato, e io sarei sparito. Non volevo lasciargli niente. Volevo portare tutto con me. Afferrai una sedia pronto a fracassarla ma due braccia mi strinsero da dietro.

«Basta, Saint. Per favore.»

«Non voglio morire, Monica.»

«Non morirai. Sarai sempre tu.»

«Non è vero.» Posai la sedia. «Ma tu sarai contenta, riavrai il tuo fidanzatino del cazzo.»

«Voglio solo che tu stia bene.»

«Non ho altra scelta, vero?»

Monica mi abbracciò stretto. La lasciai fare. Per quanto potesse sembrarmi strano, mi dava un po' di conforto.

«E se sono davvero colpevole? Se l'ho ammazzato davvero io?»

Non rispose e cinque minuti dopo chiamò a casa il mio medico.

6

L'ultima volta che avevo fatto degli esami, l'ultima volta *prima* s'intende, avevo fatto una fila di mezz'ora alla mutua. Cercavo di scoprire se avevo l'AIDS, la malattia di moda. Stranamente, non mi era venuto in mente di controllarmi quando metà dei miei conoscenti aveva cominciato a morire come mosche, forse perché mi ero convinto di essere immortale. Avevo preso la decisione d'impulso, pochi mesi prima di ritrovarmi sbalzato nell'epoca attuale, spinto da non so quale misteriosa paura che mi era venuta dopo un mal di gola. Mi palpavo le ascelle cercando strani gonfiori, mi misuravo la febbre tre volte al giorno. La settimana prima dei risultati fu la peggiore della mia vita, e la trascorsi con la certezza assoluta di essere sieropositivo, fregato da una qualche tipa o da un bicchiere sporco. Dicevano che l'AIDS non si prendesse con la saliva, ma chi poteva esserne sicuro? Ero andato a ritirare il referto completamente sbronzo, e per qualche secondo avevo pensato che negativo significasse malato. Negativo è una parola brutta, no? Invece ero a posto.

La mia attuale posizione sociale, invece, mi permise di saltare le attese. Fui ricevuto come un ospite gradito direttamente dal mio nuovo medico, un internista alla Clinica Capitanio, che Monica aveva convinto a mettersi a disposizione fuori orario. Alle nove di sera, in mutande e calzini, venni infilato in un'enorme lavatrice bianca, legato a un lettino che scorreva avanti e indietro. Rumori elettronici attorno a me, voglia di vomitare, senso di soffocamento. Per fortuna durò poco. Andai ad aspettare il medico nel suo ambulatorio, mentre ritirava i risultati della TAC. Monica era con me. Mi aveva spiegato che con il medico mi davo del tu, si chiamava Giulio, e ci giocavo a squash qualche volta. Mi ero fatto spiegare cosa fosse lo squash.

Giulio tornò dopo una ventina di minuti con una cartella medica in mano. Era un uomo sulla cinquantina, con gli occhiali e i capelli sale e pepe lunghi sul collo. Si sedette dietro la scrivania.

«Buone notizie. Non hai niente.»

«Sei sicuro che sia una buona notizia?»

«Certo.» Sorrise, aveva i denti troppo lucidi per essere veri. «Episodi di amnesia retrograda possono essere provocati da tumori, lesioni post-traumatiche o malattie come la demenza senile. Ma da quanto possiamo vedere qui sei a posto.»

«E la scossa?» chiese Monica.

«Tesoro, una scarica elettrica può provocare confusione mentale e, in rarissimi casi, un'amnesia limitata agli eventi in concomitanza. È uno degli effetti dell'elettroshock. Ma normalmente recedono dopo poche ore. E non provocano fenomeni di dimensioni così estese.»

«Magari era una scossa bella forte» dissi io.

«Una scarica elettrica ad alta tensione provoca arresto cardiaco e respiratorio. Tu sei ancora vivo e non hai danni a carico degli organi interni. Possiamo fare altri esami, ma...»

«Per te, la corrente non c'entra.»

«Non credo c'entri una causa organica. In termini tecnici, quello che hai tu è definito amnesia lacunare, cioè la cancellazione completa di una serie circoscritta di eventi.»

«Quattordici anni, un bel po'.»

«Inconsueto, ma la definizione rimane quella. L'amnesia lacunare quasi mai ha una causa fisica. Il nostro cervello non è un tronco d'albero, fatto ad anelli. Non possiamo tagliare via un anno specifico come fosse una fetta, figurarsi quattordici. Sappiamo ancora poco di come funziona, ma di certo la memoria a lungo termine non è sistemata in modo lineare nelle nostre sinapsi.»

Avevo capito più o meno la metà. «Cosa ci rimane?»

«Ti faccio qualche domanda, prima.»

«Ok.»

«Se vuoi, possiamo chiedere a Monica di aspettarci fuori.»

«Io resto» disse Monica.

Alzai le spalle. Al punto in cui ero... «Spara.»

«Ci sono stati casi di Alzheimer nella tua famiglia?»

«Non fino a quando mi ricordo. Però mio nonno era un ubriacone ed è finito sotto un tram.»

«Irrilevante. Fai uso di sostanze stupefacenti o ne hai fatto uso in passato?»

«No» disse Monica.

«Sì» dissi io.

Monica gemette. «Non me l'avevi mai detto.»

«Adesso lo sai.»

«Qualche spinello o qualcosa di più?» chiese Giulio.

«Coca, amfe, qualche trip, funghetti. Anche del pejote una volta, ed è stata una bella botta.» Mi era durata tre giorni e avevo parlato direttamente con Atahualpa. Mi aveva dato i numeri da giocare al Lotto. Non erano usciti. «Non so se adesso sono pulito.»

«Certo che sì!» disse Monica.

«Peccati di gioventù, eh?» Giulio cominciava a starmi sul cazzo. «Alcol?»

«Sì.»

«Ma non beve più» si affrettò ad aggiungere Monica.

«Fino a ieri.»

«Va bene. Per quello che ti ricordi, hai mai avuto problemi simili in passato?»

Monica: «No».

Io: «Sì».

Monica: «Cazzo. Ma con chi stavo?».

Io: «Un pirla».

«Scusate» disse Giulio «ma vorrei finire. Puoi essere più specifico, Santo?»

«Quando avevo ventisei anni mi hanno rinchiuso in manicomio.» Altro gemito di Monica.

«Non ci sono più i manicomi, Santo. Una casa di cura? Il reparto psichiatrico di un ospedale?»

«Non mi ricordo.»

«Quali erano i sintomi?»

«Mi cagavo addosso.» Doppio gemito di Monica. «E, da quanto ho capito, non mi ricordavo più un cazzo neanche lì.»

«È interessante» disse il dottore.

«Da morire.»

«Sai quali sono state le cause scatenanti?»

«Una botta in testa.»

«Strano. Un trauma cranico può produrre disorientamento, ma per i sintomi che hai descritto dovresti aver avuto una lesione al cervello. Alla TAC, però, non risulta.»

«Ero anche bello fatto.»

«Mah... Riusciresti a procurarmi la cartella clinica? Magari la diagnosi può aiutarci.»

«Posso guardare in casa. Ma non garantisco niente.»

«Puoi chiedere a tuo padre. Magari lui lo sa.»

Giusto, lui. «È ancora vivo, quindi.»

«A me non hai detto che è morto; Monica?»

«Sì, è vivo.»

Il medico esitò, giocherellando con la penna. «Ancora una domanda. Eri stressato nell'ultimo periodo?»

«Sì.»

«Problemi grossi? Talmente grossi da parerti irrisolvibili? Che ti spaventavano?»

Un omicidio, per esempio? «Sì.»

«Da ciò che mi hai detto, e da quanto mi hai raccontato sul tuo passato, sono sempre più propenso a scartare la causa organica.»

«Traduci.»

«Non è il mio campo, ma credo che tu abbia dimenticato perché volevi dimenticare. La scarica elettrica è un caso, sempre che tu l'abbia presa davvero.»

«Ho ancora la bruciatura.» Gli feci vedere il palmo.

«Mettici una pomata.»

«Bella diagnosi, grazie.»

«Prenditela con Freud. È un meccanismo di fuga. Avevi dei problemi, e sei tornato indietro a quando questi problemi non li avevi. A un periodo più semplice della tua vita.»

«Non era tanto semplice, credimi.»

«Diciamo allora più felice. Il mio consiglio è di riposarti. Stai a casa, rilassati.»

«Non sono i giorni giusti.»

«I ricordi cominceranno a riaffiorare un po' alla volta. Posso prescriverti qualcosa, tanto per farti stare un po' più tranquillo. Ma sarebbe meglio tu ne facessi a meno.»

«Quanto tempo ci vorrà?» chiese Monica.

Giulio allargò le braccia. «Non lo so. Ma l'ultima cosa che serve a Santo in questo momento è essere messo sotto pressione.»

Sono già sotto pressione, testa di cazzo, pensai. Ma non glielo dissi.

Compilò una ricetta e me la passò. Lexotan. «Un'altra cosa, probabilmente non c'entra nulla con il resto ma... tu hai fatto il militare?»

«Riformato. Sindrome ansioso-depressiva.» Monica fece l'ennesimo gemito. «Ma era una finta. Ho recitato bene e ci sono cascati. Due giorni di caserma e il congedo.»

«Niente guerra del Golfo.»

«Ci puoi scommettere le palle. Perché?»

«Ti faccio vedere.» Estrasse dalla cartella clinica una lastra che applicò a un vetro luminoso. «Questo è il tuo torace.» Ossa e organi interni si vedevano perfettamente, non assomigliava alle radiografie che conoscevo io. Giulio indicò un pallino scuro all'altezza della mia spalla sinistra. «Guarda qui. È calcificato, quindi è una frattura vecchia. Almeno una decina d'anni.»

«Mi sono rotto qualcosa?»

«Avevo notato che avevi una cicatrice lì visitandoti. Tu mi hai detto che ti eri rotto una spalla sciando. Però dentro la calcificazione c'è un oggetto estraneo. Di metallo. Può essere qualsiasi cosa, un pezzo di chiodo, è difficile da capire. Però... Be', se non fossi tu, direi che è un frammento di proiettile.»

7

Tra me e Monica, quando uscimmo, eravamo una bella coppia di musi lunghi. Non disse niente finché non arrivammo alla mia auto. L'avevo recuperata, box numero 6, ma non era la macchina che mi ero immaginato. Era una specie di furgone con quattro tubi di scappamento, nero, che avrei visto bene con una bara dentro. Cayenne, si chiamava, e muoversi con quel bestione nelle vie intasate era stato una pena. E aveva anche il cambio automatico che toglieva gusto a guidare: continuavo a cercare di premere una frizione inesistente. Sbloccai le portiere e salii. Monica rimase impalata sul marciapiede. Aprii lo sportello dal suo lato. «Be'?»

«Non vengo.»

Oh, merda. Scesi. «Cosa cazzo hai, adesso?»

«Cosa cazzo ho? *Cosa cazzo ho?*» Tirò su con il naso un paio di volte, poi scoppiò a piangere. Corse via. Le andai dietro.

«Dài non rifacciamo la scena di oggi. Chissà cosa pensa la gente.»

Passava un taxi, Monica agitò la mano. Il taxi si fermò.

«Monica, su.»

Monica aprì la portiera, la richiusi con una manata. Il tassista scese, un cristone di un paio di metri. «Qualche problema, signorina? Il signore le sta dando fastidio?»

«Sì» disse Monica.

Il tassista fece il giro dell'auto e mi si piazzò di fronte. «Ma non ti vergogni a molestare le donne?»

«È la mia fidanzata. Abbiamo litigato. Monica, digli qualcosa.»

«Non conosco questo signore.»

Il tassista mi diede una spinta sul petto. «Se non te ne vai, chiamo la polizia.»

«Monica...»

Il tassista mi diede un'altra spinta e aprì la portiera. «Salga, signorina.»

Monica si sistemò sul sedile.

«Non puoi lasciarmi qui così. Dài, parliamone.»

Monica richiuse. Cercai di attirare il suo sguardo attraverso il finestrino, ma mi ignorò, rigida come un palo. Il taxi partì. Presi il mio bestione e tornai a casa.

Il cancello del mio palazzo si apriva con un telecomando non troppo differente da quelli della mia epoca, più piccolo forse. Scesi la rampa pensando seriamente di andarmi a schiantare contro il muro. Quanto tempo ci sarebbe voluto prima che venissero a prendermi? Un giorno, due? Una settimana? E dopo mi sarei fatto l'ergastolo senza sapere se lo meritavo davvero.

Parcheggiai l'auto nel box, che conteneva anche una bicicletta dalle ruote sgonfie, e cercai la strada per risalire nel mio appartamento. C'era un odore strano nell'aria, e lo identificai dopo qualche secondo: cloro. Proveniva dalla rampa di scale, dal piano sotto i garage. Scesi fino a quando mi trovai di fronte a una porta di metallo sbarrata. Un cartello diceva: *L'uso della piscina è consentito ai signori inquilini dalle ore 9.00 alle ore 21.00.* Erano le undici passate, peccato. Guardai la serratura: Yale, non troppo difficile. Tornai nel mio box e frugai nella cassetta degli attrezzi. Uhmm, filo di ferro, chiodino...

Aprii in un minuto scarso. È sempre così. O le apri al volo, o ti conviene procurarti un piede di porco. Dentro era buio, ma trovai l'interruttore e i neon sul soffitto si accesero sfrigolando. Gradinate bianche di marmo, un paio di docce, una piscina lunga la metà di quelle olimpioniche. Cartelli. *L'uso della piscina è consentito solo agli inquilini. È obbligatorio l'uso della cuffia. È obbligatorio fare la doccia prima di entrare nella vasca. Vietato il topless.* E che palle.

Mi tolsi i vestiti e mi tuffai. Fantastico. Mi era sempre piaciuto nuotare. Andavo a una piscina vicino allo stadio. In agosto era piena di tamarri, ma la sorveglianza era di manica larga e potevi farti una canna sdraiato sull'erba senza che nessuno arrivasse a rompere. Chissà se c'era ancora, o era diventata un cantiere anche quella.

Feci un paio di vasche lentamente per regolare la respirazione. Il mio corpo reagiva bene, i movimenti erano fluidi. Presi il ritmo e feci un altro paio di vasche a stile libero, accelerando. A ogni bracciata mi lasciavo dietro un pezzo. Mi lasciavo dietro Trafficante, con i suoi guai. Mi lasciavo dietro il pubblicitario. Mi lasciavo dietro Spillo. Il manicomio, quel mondo di merda dove tutto mi andava male. Cominciai a piangere e nuotai finché non mi rimase più fiato. Mi aggrappai al bordo, ansimante, distrutto, rinato. A un metro da me c'erano un paio di gambe femminili. Conoscevo quei piedi che si muovevano nell'acqua. Alzai lo sguardo. Monica.

«Ciao» dissi.

«Ciao. Sapevo che ti avrei trovato qui. Vieni qui a sfogarti quando sei nervoso. Ti piace nuotare di notte.»

«In certe cose non sono cambiato.»

«Hai trovato la chiave?»

«No, ho scassinato. Non sapevo di averne una.»

«Ti sei fatto dare una copia dal portinaio. Hai un ascendente su di lui, l'hai fatto assumere tu.»

Mi diedi una spinta e nuotai a dorso lungo il lato corto.

«Sei in mutande.»

«Pensi che mi daranno una multa?»

«Non farò la spia.»

Mi aggrappai al bordo vicino alle sue gambe. «Ho dimenticato anche l'asciugamano.»

«Te ne prendo uno dallo spogliatoio.»

«Grazie.»

Tornò con un telo bianco. Quando uscii me lo mise attorno al corpo. «Ecco, servizio completo.» Ci guardammo a un centimetro. Poi lei disse. «Santo...» Aveva gli occhi lucidi.

Le presi il viso tra le mani e la baciai. «Oddio, Santo.»

Le morsi il collo. Le mie dita superarono l'elastico delle mutandine. Mi ansimò nell'orecchio. «Aspetta.» La sfiorai. Era bagnata. Le infilai un dito. S'inarcò. Mi piantò le unghie nella schiena. «Chi sei, Santo? Chi sei?»

Salimmo in casa. Monica esitò sulla porta, la spinsi dentro. Scopammo sul tappeto davanti al camino che non sapevo come accendere. Fu strano. Ma bello. Era la prima volta da una vita che lo facevo senza essere fatto o sbronzo. Per qualche istante pensai anche che non ci sarei riuscito, poi il vecchio meccanismo si mise in moto.

«È stato... diverso» disse lei, dopo.

Io stavo cercando di districarmi dal groviglio dei calzoni. Me li ero abbassati senza togliermi le scarpe (mi ero rivestito per salire in un attacco di pudore) e adesso ero imprigionato. Odoravo di cloro. «Meglio o peggio?»

«Solo diverso.»

«Da quanto non lo facevamo?»

Prese un cuscino dal divano e me lo sistemò sotto la testa. Si appoggiò al mio petto. «Un po'.»

«Neanche ieri, come regalo di compleanno?»

«No. Un po' ci speravo...»

«Si sa, i manager sono stressati. Niente figa.»

Mi tirò un pugnetto sul braccio. «Stronzo.»

«Scusa.» Mi accesi una sigaretta. «Spacciavo e rubavo.»

«Cosa?»

«Rispondevo alla domanda di prima. Quello che ero. Quello che sono. Un randa, un delinquente.»

«Davvero?»

«Sei spaventata?»

Non disse niente per un minuto buono. Poi: «Come sei diventato un... *randa*?».

Alzai le spalle. «Un amico mi ha insegnato il mestiere. Mi sembrava meglio che spaccarmi la schiena all'ortomercato. E lavoravo in proprio, senza padroncini.»

«Con la droga.»

«Se uno vuole farsi una fumata o una riga, secondo me è libero di farlo.»

«La droga uccide.»

«Cos'è, la Pubblicità Progresso? Puoi crepare anche perché attraversi la strada. Non è mica meglio.»

Altro silenzio.

«E il proiettile?» disse poi.

«Quello nella mia spalla?»

«Sì.»

Mi tastai, in effetti si sentiva una pallina dura. «Non lo so, è finito nei ricordi persi.»

«Ti capitava spesso, di farti sparare?»

«Da quello che ne so, è stata l'unica volta.»

Mi prese la sigaretta dalle labbra e fece un tiro.

«Pensavo non fumassi.»

«Ogni tanto. Ma mai davanti a te. Non volevi. Eri contrario alle droghe. Anche alla caffeina.»

«Adesso mi spiego la colazione schifosa.»

«Un bel cambiamento da quello che ti ricordi, eh?»

«Vorrei sapere perché.»

«Perché la vita va avanti, Saint. Perché hai trovato la tua strada. Ed è una strada pulita, adesso.»

«Vorrei poterti credere, ma so per esperienza che non è mai così semplice. Ti risulta che io abbia avuto a che fare con un investigatore privato, di recente?»

«No, perché?»

«Solo un pensiero.» Mi accesi un'altra sigaretta con il mozzicone della prima. «Come è stato ucciso Roveda?»

«Dicono che qualcuno lo ha pugnalato in un occhio mentre era in piscina.»

«Che schifo.»

«Con qualcosa di appuntito. Lui è svenuto ed è affogato. È successo ieri pomeriggio, ma l'hanno trovato solo la sera. Era single e anche un po' misantropo.»

«Sembra che tu lo conoscessi bene, da come ne parli.»

«Era un amico di famiglia. Un po' come se fosse uno zio lontano. Mi regalava sempre delle bambole per il mio compleanno, quando ero piccola. Le prendeva nei duty free degli aeroporti in giro per il mondo, ce le ho ancora. Poi è passato alle rose. Quando ho saputo che era morto... io...» Si asciugò una lacrima. «Non mi voleva davvero bene, sai? Da piccola pensavo di sì, ma da grande ho capito che era gentile con me solo per tenersi buono mio padre. È stata una vera delusione. Ma ucciso, in quel modo...» Tirò su con il naso. «Alla fine i rapporti tra lui e mio padre si erano raffreddati, anche se papà è disperato all'idea di quello che è successo a Mariano. Povero, mi è sembrato tanto vecchio quando l'ho visto stamattina. Fragile...»

«Perché avevano litigato, Roveda e tuo padre?»

«Per via dell'agenzia.»

«Tuo padre c'entra con la Beagle & Manetti?»

«Mio padre aveva un'agenzia per conto suo che non andava tanto bene. Manetti è entrato come socio di capitale.»

«Mi venga un colpo! Ti chiami Beagle di cognome?»

«No, scemo, Bonanno. Beagle era il cane di papà. Si chiamava Spot – non molto originale – ed era un beagle, appunto. L'hanno messo anche sul logo dell'agenzia.»

«Pensavo che fosse un maiale.»

«Era un po' grasso, povero Spot. È morto mentre inseguiva un gatto. Infarto, pare non succeda quasi mai ai cani...»

«Muoiono quando devono morire. Il mio il giorno prima stava benissimo.»

«Come si chiamava?»

«Spillo.»

«Bello. Comunque quello di mettere un cane sull'insegna è il tipico umorismo di papà, ma di humor ne ha perso parecchio quando Manetti ha nominato Mariano amministratore unico. Papà non era d'accordo, ma ormai era socio di minoranza e il suo parere era, appunto, solo un parere. Quando Manetti è morto gli eredi hanno voluto rispettare la sua volontà. Il figlio è diventato presidente, una carica puramente simbolica, e Mariano è rimasto amministratore.»

«Se sei la figlia del padrone, perché fai la mia segretaria?»

«Sono la tua assistente, non segretaria. La tua vice. Magari ti aiuto con gli appuntamenti, ma non ti porto il caffè. Per quello c'è Rina, la tua segretaria vera. La nostra, anzi. E io ho cominciato da poco. Sono stata all'estero sino a tre anni fa, e non sapevo niente di pubblicità. Quello che so me l'hai insegnato tu.»

«Che meraviglia.» Mi stirai e mi alzai. «Mi sta venendo una fame da lupo. Guardiamo se c'è qualcosa da mangiare in casa, che non sia al farro o alla bietola?»

«La moglie di Rosario ti cucina sempre, se non le dici di non farlo. Immancabilmente vegetariano, mi spiace dirtelo.»

«Cambieremo anche quello.»

Mi infilai i calzoni. Monica non si mosse. «Saint...»

«Non hai fame?»

«Saint, e poi cosa facciamo?»

«Rispettiamo il programma. Devo tornare a lavorare e fingere di essere quello di prima, almeno fino a quando l'indagine sarà conclusa. Dopo, mi inventerò qualcosa di meglio.»

«Ma non ti ricordi niente...»

«Mi insegnerai tu.» Guardai l'orologio. «A che ora mi presento di solito? Devo timbrare un cartellino o qualcosa del genere?»

«No, sei un dirigente, gestisci i tuoi orari. Arrivi intorno alle nove.»

«Allora abbiamo sette ore buone.»

8

Decidemmo di cominciare dal telefonino. Visto che ce l'avevano tutti, dovevo saperlo usare. Monica mi fece vedere come accenderlo, come consultare la rubrica, centoventi nomi sconosciuti a parte Rosario, Ufficio e Monica, come scrivere un SMS e spedirlo. Anche come scattare una fotografia. Avevo già sentito parlare di macchine fotografiche digitali, ma una volta costavano una sberla ed erano enormi. Adesso ne avevo una dentro un affare grande come un pacchetto di sigarette, e potevo mandare immagini in giro per il mondo facendo il numero. Geniale o stupidissimo, non riuscivo a decidere. Potevo anche scegliere una suoneria tra cinquanta differenti, stereo e fracassamarroni, dalla *Cucaracha* alla *Stangata*. Possibile che agli altri non desse fastidio? I miei vicini si lamentavano già quando tenevo troppo alto il volume della televisione, adesso con il cellulare avrei potuto torturarli a morte. Il pubblicitario, comunque, aveva scelto l'opzione *Vibrazione silenziosa*, quella roba che mi aveva svegliato trapanando il comodino.

«I messaggi che ricevi, li conservi qui.» Pigiando sui tasti me ne fece vedere una serie. Tre o quattro erano suoi: dal *Dove sei?*, mandato la sera della Scala, al *Chiamami, c'è la polizia!!*, di quella mattina. Gli altri erano di sconosciuti ed erano più o meno tutti *Chiamami*, o *Fatti sentire*. A parte uno di un tale don Zurloni, *Vi ricordo la riunione di mercoledì alle 21.30. Un caro saluto.* Pensai di chiedere chi fosse a Monica, ma stava già passando alla segreteria telefonica.

«Pigi qui e ascolti i messaggi.»

Mi mise il telefono contro l'orecchio e sentii la sua voce che mi chiamava disperata la sera della Scala, poi tristissima che mi diceva di Roveda: *Un incidente, sigh sigh.* E uno di Rina, la segretaria, che mi chiedeva, con voce strozzata, di recarmi in ufficio per comunicazioni urgenti. Chissà se era stata lei a riferire agli sbirri i miei commenti su Roveda. Nient'altro, a parte una voce sintetica che chiedeva se doveva cancellare o farmi risentire da capo.

«Puoi anche vedere le ultime notizie del TG, mandare un fax e farti fare un massaggio alla nuca, ma queste funzioni adesso non sono urgenti, sei d'accordo?»

Ero d'accordo. Già mi sentivo svuotato e la lezione era solo all'inizio.

«Adesso viene il bello. Il computer» disse Monica.

Ai tempi avevo un 286 che pesava un quintale, con il quale mi ero sfinito a tutti i giochini possibili e immaginabili. L'avevo scambiato con un tossico, e ci avevo trovato dentro il diario del precedente proprietario, scritto con un programma che si chiamava WordStar, che mi aveva fatto schiattare dal ridere per parecchie notti. Quello che avevo adesso, nello studio al terzo piano (non mi ero neanche accorto che ci fosse una mansarda con terrazza), consisteva in uno schermo spesso pochi centimetri. Non c'era lo scatolotto, non c'erano fili tra la tastiera e lo schermo, non c'era il filo del mouse. «Bluetooth» mi spiegò Monica, cioè onde radio. Il mouse non aveva nemmeno la pallina, ma una luce rossa. Un laser, come quello che mi avevano messo negli occhi.

Monica mi fece vedere come usare i comandi. Niente cursore, righe di testo, niente C: *Open File, Delete, Print*, ma disegnini da schiacciare con il puntatore. *Icone*. Riconobbi che era un Apple dalla mela incisa nella plastica bianco latte, anche se quelli che ricordavo erano delle specie di cubi grigi, con uno schermo minuscolo. Affascinato, mi feci guidare attraverso il menu, scoprendo che la macchina aveva un hard disk da duecento *giga*. Giga, ovvero mille mega. Il computer che avevo abbandonato nella casa che non c'era più aveva venti mega di memoria fissa, ed era mezzo vuoto. Con il computer entrammo in Internet. Ne avevo sentito parlare, ai miei tempi, ma era solo una cosa con cui giocavano gli americani. Adesso scoprivo che era una specie di enciclopedia infinita suddivisa su milioni di computer sparsi per il mondo, *in rete. Collegati*, 24 ore su 24. Avrei potuto farne parte anch'io, se avessi voluto. Fare la mia *pagina. Pagine* che si aprivano quando pigiavo il pulsante del mouse, quando *cliccavo*, in tutte le lingue del mondo. Inserendo una parola in *Google* mi usciva un elenco di pagine da *cliccare* con le informazioni richieste, a prova di scemo. Al terzo clic mi si aprì una pagina dove una donna nera succhiava un cazzo enorme.

«Mica male. Una volta dovevi pagare per vedere queste cose» dissi.

«Anche adesso. Se clicchi lì, ti chiedono la carta di credito. È spam.»

«*Spam?*»

«Pubblicità non richiesta.»

«Colleghi nostri, allora...»

Lo spam era impossibile da evitare. Ogni due per tre ne saltava fuori una, con qualcosa da vendere: sesso, medicine, viaggi. Soprattutto sesso. E quando cercavi di chiudere una finestra, si moltiplicava fino a intasarti lo schermo costringendoti a uscire dal programma.

Rimasi incantato dai colori. Il mio Olivetti PC1 era in bianco e nero. Adesso, su quella sottiletta di plastica, le immagini erano come un film a tre dimensioni. I suoni sembravano uscire da un impianto hi-fi, altro che Sound Blaster. E le informazioni erano infinite, incatenate una all'altra. Cliccando in una pagina arrivavo in un'altra, all'altro capo del mondo. Un altro *sito*. Cominciai a giocarci. Monica resse fino alle quattro del mattino, e quando crollò ero già in grado di andare avanti da solo. Imparavo in fretta, e il pensiero che forse non stavo imparando, ma semplicemente ricordando, era orrendo.

Ma niente panico, niente panico. Continua con la tua flebo di terzo millennio.

All'alba mi ero fatto un'idea del nuovo secolo. In sostanza: una merda. Non erano andati su Marte, non c'era il teletrasporto. Non avevano guarito il cancro, non avevano debellato l'AIDS, non avevano sconfitto la fame nel mondo, non avevano ridotto l'inquinamento... In compenso, c'erano un sacco di malattie nuove. Una veniva perché facevano mangiare alle mucche carogne macinate invece dell'erba, il che la diceva lunga sulla furbizia generale.

Impara: *prione*. Impara: *influenza aviaria*.

Le teste di cazzo continuavano ad accopparsi in giro per il mondo. I marmittoni italiani erano andati in Somalia a fare un casino, poi erano tornati lasciando un casino ancora più grosso. Adesso saltavano per aria in Iraq e Afghanistan. E poi il terrorismo globale. Attentati, decapitazioni in diretta. *Osama bin Laden*. Meeerda.

Vidi le due torri di Manhattan crollare e mi chiesi se ero mai riuscito a visitarle, in quel buco nero che erano stati i miei anni perduti. Seguii la differita della manifestazione per i soldati italiani morti ammazzati a Baghdad. Bandiere tricolori, esercito, folla plaudente e commossa. Ci mancava il Duce con le mani sui fianchi. Chi per la Patria muore vissuto è assai. Impara: *11 settembre*. Impara: *missione di pace*. Impara: *al-Qaeda*.

Il futuro non era quello di Asimov con i robottini simpatici. Era *Blade Runner*, senza i replicanti. Clonare clonavano, ma non funzionava come nel film. Incrociavano a cazzo. Le fragole con gli scorpioni. I pomodori con le meduse. Le sementi con gli antiparassitari. Le pecore con i ragni. Capii perché il pubblicitario fosse così attento al cibo. Per cena, la filippina aveva cucinato cardi selvatici e riso integrale. Ce l'avevo ancora attaccato ai denti.

Impara: *transgenico*. Impara: OGM. Impara: *mercato globale*. Impara: *no-global*.

Alle cinque del mattino brindai con una tazza di caffè al papa nuovo, l'altro me l'ero perso per un soffio. A vedere il suo cadavere c'erano andati due milioni di persone e l'avevano fotografato con il telefonino, il morto più ripreso della storia. C'era sempre qualcuno che lo faceva: ammazzavano un bambino, una macchina cascava dal ponte, un collaborazionista palestinese veniva lapidato: *clic clic clic*. Le foto giravano da un telefono all'altro e alla fine venivano messe su Internet. Che allegria.

Cuba c'era ancora, Castro pure (*o patria o muerte*), ma la Iugoslavia era andata. E anche, cazzo, l'Unione Sovietica. Da non credere. Niente più Impero del Male, Armata Rossa e *addavenì Baffone*. In un film i cannoni sparavano sul Cremlino. Ciao a Gorbaciov e alla sua voglia sul muso. Avrei dovuto comprarmi un atlante, una volta o l'altra, e cercare di impararmi i nomi di nazioni che prima non esistevano. Gli Stati Uniti, invece, erano ancora quelli. E il presidente americano era ancora Bush. Bush *junior*? Per mezz'ora fui convinto che gli Usa fossero diventati una monarchia ereditaria, poi vidi la storia del presidente di mezzo, quasi silurato per un pompino. Eh eh eh. In Italia gli avrebbero dato una medaglia al valore. Suonava anche il sassofono.

Impara: *rapporto sessuale improprio*. Il clima era andato a puttane. Tsunami, tifoni, riscaldamento globale. Povera New Orleans. Impara: *accordo di Kyoto*.

Il Nicaragua era un disastro, la Cina ci stava ammazzando con le merci, l'Africa era un casino prima e un casino era rimasto, metà degli abitanti crepava di fame o di malattie, niente di nuovo. Be', Mandela presidente... ma non era in galera? Finito anche l'apartheid. Ex presidente, scoprii. E premio Nobel.

Italia. Corso accelerato di politica italiana.

Impara: *Mani Pulite*. Impara: *conflitto d'interessi*.

I vecchi partiti erano finiti sotto un treno subito dopo che io avevo fatto il salto. Molte delle facce di merda erano sparite, inquisite, al gabbio. Craxi morto in esilio, roba da matti, ma adesso c'era il figlio che guidava la riscossa, insieme a De Michelis con i capelli corti. Lo beccavo sempre in una discoteca dove muovevo pastiglie, circondato da torme di puttanone. I culi di legno della Democrazia cristiana si erano sbriciolati in una miriade di partitini litigiosi. Il Partito comunista, vista la fine degli amici dell'Est, aveva cambiato nome un paio di volte. Adesso erano i Democratici di sinistra, ma c'erano anche Rifondazione comunista e i Comunisti italiani, che non si rassegnavano. Non riuscii a capire cosa accidenti fossero la Rosa nel Pugno e l'Italia dei Valori, ma mi feci l'idea che non contassero un cazzo di niente. La Lega, invece, prosperava. Li avevo visti nascere, con le parate contro i negri e i terroni, ed ero sicuro non sarebbero durati sei mesi. Invece erano ancora lì a fare i riti con l'acqua del Po e le armature. E al governo, alè. Il presidente del Consiglio era Berlusconi. Partito: Forza Italia. Ricordavo di avere visto il nome in giro, su dei cartelli enormi con il tricolore, ma pensavo facessero il tifo per la nazionale di calcio.

Pizzicai il naso di Monica, stesa di traverso su una poltroncina.

«Eh?»

«Berlusconi è "quel" Silvio Berlusconi?»

«E mi svegli per questo? Sì, è lui.» Sbadigliò. «Ai tuoi tempi era solo quello di Canale 5.»

«Il Biscione.»

«Proprio lui. Io e te lo votiamo. Anche papà.»

«È di sinistra?»

«Per carità.»

«Figurarsi.»

Tornò a ronfare. Io andai avanti. Alle sei del mattino cliccavo a caso, in modo febbrile. Cercando di ricordare. Impara: *Parlamento europeo*. Impara: *trans-*

gender, ADSL, *badante, girotondino, Millennium bug, mob-*
bing, posta prioritaria, telelavoro, diversamente abile, print
on demand, Tv via satellite, GPRS, *antrace, migrante, G8,*
Carlo Giuliani...

Crollai di schianto e sognai gli albanesi sulle car-
rette del mare e io con loro su una barca che affonda-
va. Mi svegliai con i pantaloni zuppi di caffè. Sullo
schermo c'era una pagina con l'intestazione "Horny
Teens Babes" e le suddette *Horny Teens Babes* che si
infilavano di ogni. Come faceva la gente a lavorare
senza tirarsi una sega ogni cinque minuti, dovevo
ancora capirlo. Svegliai di nuovo Monica. «Ho finito,
sono distrutto. E non mi ricordo già più un cazzo.»

«Che ore sono?»

«Le sette.»

Si sgranchì. «Caspita.» Sbadigliò. «Che effetto ti fa?»

«Orribile. Quando hanno tirato giù il Muro di Ber-
lino ero convinto... *Tutti* eravamo convinti che ci aspettava un mondo fantastico. Senza guerre, tranquillo...
Avete fatto un casino.»

«*Abbiamo*. C'eri anche tu. Hai guardato il sito della
Beagle?»

«Ha un sito? Eh, già, ce l'hanno tutti.»

«Aspetta.» Si fece largo sulla tastiera e cominciò a
pestare sui tasti. «Ma perché è così appiccicosa?»

«Caffè.»

«Non farlo in ufficio, che Rina sviene. Ecco.»

Lo schermo si era animato. Pensai che fosse l'ennesimo spam, ma era la pagina aziendale. Prima apparve un prato verde, poi il cane-maiale che annusava in
giro. Quando arrivò al fiore, il fiore si ingrandì e
riempì la pagina. Ogni petalo portava a una parte
differente del sito.

«Ecco chi siamo.»

Cliccò su un petalo e l'immagine diventò quella di una cascata. L'acqua formò una serie di stronzate racchiuse in una bolla.

LE NOSTRE REGOLE D'ORO

CREARE IDEE NUOVE, senza vincoli con il passato, senza paura di osare.

ROMPERE con gli schemi.

DIVENTARE tutt'uno con il Cliente. Condividere i suoi obiettivi, le sue speranze, i suoi desideri, la sua visione del mondo.

SEMPRE PIÙ IN ALTO. Con le parole di Giu: "... non dobbiamo mai smettere di puntare al meglio. La mediocrità non ci interessa".

«*Giu* era Giuseppe Manetti» disse Monica.

«Non è che ve la tirate un po' troppo?»

«Perché?» Sbadigliò ancora. «Passiamo alla parte interessante. Questo era Mariano.» Cliccò su una nuova sezione e apparve il volto di un tipo con i capelli bianchi e l'aria da faina. *Mariano Roveda*, diceva la didascalia. «Ti ricorda qualcosa?»

«Buio assoluto.»

«E questo?»

Fece apparire la mia foto. Sorridevo seduto a una scrivania, con il solito vestito nero.

«Purtroppo lui sì.»

«Leggi e impara.»

Santo Denti, classe 1965. Dopo una lunga parentesi nel sociale...

«Nel sociale?»

«Spaccio non si poteva dire. Hai raccontato che eri

un operatore di strada che lavorava con i bambini rom e le prostitute.»

«Le prostitute può darsi...»

«Vai avanti a leggere, maiale.»

... *Denti ha ripreso gli studi e nel 1998 si è laureato con il massimo dei voti alla facoltà di Scienze politiche.*

«Stop!»

«Cosa c'è di strano?»

«Monica, ho preso il diploma professionale per il rotto della cuffia. Studiare non è proprio il mio pane. Qui dice che ho una laurea.»

«Te l'ho detto, sei cambiato.»

«Magari è falsa.»

«È appesa lì, guarda.»

Era proprio sopra il computer. Con il mio nome sopra. Voto, 110 e lode. Secchione. Andai avanti a leggere.

Ha mosso i primi passi nel mondo della pubblicità come copy...

«Copy?»

«Scrivevi i testi. Slogan, claim...»

... *per la Armando Zucca. Sua è l'ideazione del pay-off per le stampanti a getto d'inchiostro Ibm, "Pagherete Poco, Stamperete Tutto", premiato con il Mercurio d'oro nel 1999. Nel 2000 entra come creativo della B&M e vince ancora il Mercurio d'oro con la fortunata campagna per il chinotto Milano "Stay Boomalek". Altre campagne di successo che portano la sua firma: "Il Domani è Prugna" (Yogurt Dericoni); "Chiedimi chi erano i Brutos (Enciclopedia De Agostini); L'Onda D'oro (Lavatrice Agnis); Voglia di Purezza (Acqua minerale Sangiovanni). Nel 2003 è nominato direttore creativo. Nonostante i nuovi impegni, ha continuato, anzi approfondito, il suo impegno nel sociale ed è una delle anime del movimento delle Pecorelle fondato da padre Zurloni nel 1970.*

«No, le Pecorelle no...»

«Spiacente.»

«Ma che cazzo sono?»

«È un movimento cristiano. Movimento delle Pecorelle del Buon Pastore, è il nome ufficiale.»

«E andiamo a brucare in compagnia.»

«È una cosa seria, e molto bella. Cercate di portare la parola di Gesù nella vita quotidiana. Siete molto attivi soprattutto nella solidarietà con i popoli colpiti dalla guerra. È lì che hai conosciuto papà.» Di colpo mi apparve molto più stanca. «Padre Zurloni avrebbe dovuto sposarci, sai?»

Aspettava che dicessi qualcosa, ma non mi venne niente di intelligente. Chinò la testa. «Vado a farmi una doccia. Fattela anche tu che puzzi. E tagliati la barba.»

«Sì, capo.»

Rimasi davanti allo schermo a guardare la mia faccia. Le Pecorelle... Adesso capivo il perché dei crocifissi in giro per casa.

Ma ci credevo davvero? Non che fossi ateo, prima. Solo, non mi ero mai posto il problema seriamente. Ero convinto che Dio, se esisteva, si facesse grandi spaghettate di cavoli suoi ai piani alti mentre noi ci sbattevamo in cortile. E dopo la morte, lotteria: vediamo chi ci ha azzeccato. Magari scopriremo che hanno ragione quegli scassacazzo dei Testimoni di Geova. Il pubblicitario, invece, faceva il tifo per una squadra precisa. A proposito di squadre...

Digitai *Inter+squadra di calcio.* Evvai Magica. *Allenatore, Mancini.* Cavolo, com'era invecchiato. *Presi-*

dente: Moratti. Figlio. Scudetti? Dal mio salto nel buio...
zero. Zero? Un'altra fregatura del nuovo mondo, mai
che mi desse una gioia, mai. Non ricordandomi che il
computer stava tutto nello schermo, mi chinai sotto la
scrivania alla ricerca del bottone per spegnere. Fu
quello che mi salvò.

Lo schermo esplose.

Terzo giorno

Terzo giorno

1

Il fracasso era arrivato sino al piano di sotto. Monica salì di corsa con il mio accappatoio e i capelli bagnati, mentre io stavo ancora spazzolandomi i frammenti di plastica e vetro dai vestiti. «Cos'hai combinato?»

«Io?» Con la mano tremula indicai una scheggia di ferro conficcata accanto alla portafinestra: doveva aver attraversato l'aria come un proiettile, giusto all'altezza della mia testa. Il resto del computer sottiletta era sparso in giro, come un melone caduto dal quinto piano. Sulla scrivania rimanevano soltanto il piedistallo di alluminio e il cavo di alimentazione attaccato al nulla.

Monica sfiorò con un dito la scheggia, che vibrò senza staccarsi. «Forse è stato un cortocircuito...»

«Un altro? Ho fatto l'abbonamento?»

Mi avvicinai ed esaminai da vicino la scheggia. Era appuntita e leggermente rugginosa, come un pezzo di lamierino ritorto. Mi vennero i sudori freddi mentre la immaginavo che mi attraversava. Sembrava fatta apposta per squartare un cristiano, come quegli affari che usano i carcerati per regolare i conti, fabbricati usando i pezzi delle brande. La esaminai da vicino. «Non ti sembra strana?»

«Perché?»

«Non me ne intendo di computer ultimo modello, ma da cosa si è staccata secondo te? Ferro arrugginito, lega poco con il resto.» Avvolsi un lembo della camicia attorno alla scheggia e la estrassi dal muro. Si era conficcata per un paio di centimetri e venne fuori con un po' di calcinacci. «Guarda qui» dissi a Monica. «Sembra sia stata fatta apposta così appuntita. E non senti questo odore?»

Annusò. «Assomiglia a un petardo.»

«Cioè polvere nera, per quello che ne so. Se ci fosse ancora il computer ti farei vedere su Internet per cosa si usa la polvere nera.»

Diventò bianca. «Una bomba.»

«Brava.»

«Devi chiamare la polizia.»

«Altri suggerimenti intelligenti?»

«Ma Saint, hanno cercato di ucciderti! Come fai a essere così calmo?»

«Calmo? E chi è calmo?» Avevo le gambe molli. «Ma cosa raccontiamo se salta fuori che avevo comprato una scatola di petardi?»

«Pensi che... potresti essere stato tu?»

«A me lo chiedi? Magari volevo proteggere il computer dagli intrusi. Oppure volevo suicidarmi. E se non sono stato io, comunque quelli lo sospetteranno.» Lasciai cadere il frammento sul pavimento. «Chi altri ha le chiavi di casa?»

«Che io sappia solamente Rosario.»

«Che tu sappia, che io sappia.»

Non disse niente.

«Fidati, la porta non è stata scassinata. Me ne sarei accorto, ho occhio per certe cose. Forse dalla finestra...»

Guardai fuori. Il mio appartamento aveva un balcone che correva lungo il perimetro, e il pubblicitario ci coltivava una serie infinita di piante: cactus, rampicanti, un albero di limoni. Una grondaia saliva dal cortile, passando a mezzo metro dalla ringhiera, e sembrava abbastanza robusta per reggere il peso di un uomo. Ai tempi avevo usato spesso le grondaie per infilarmi negli appartamenti di cui non possedevo le chiavi, anche se ora non ci avrei riprovato con il corpo bolso che mi ritrovavo. Rientrai. «Lasciamo perdere e atteniamoci al programma. Vado a farmi la doccia.»

Monica mi afferrò un braccio. «Aspetta. E se ci fossero altre bombe in casa?»

Mi sentii gelare. Un pensiero orrendo. «Che bagno hai usato?» chiesi quando ebbi recuperato la voce.

«Quello al piano terra.»

«Non toccare niente finché non torno.»

Il bagno di sotto sembrava proprietà di Monica. C'erano creme e profumi e una vestaglia troppo frou frou per un omaccione come me. Mentre m'infilavo nella doccia, una semplice cabina di cristallo senza i marchingegni di quella di sopra, misi il piede su un cavo nero. Mi bloccai, assalito dalle immagini dei film di guerra che avevo visto. Il soldato cammina nella giungla e pesta un filo teso, clic, boom. Il soldato si rotola nell'erba con le gambe amputate, spruzzando sangue: vi prego, vi prego, salvatemi. Il sergente dice: maledetti Charlie, non c'è più niente da fare per il povero O'Connor. Mossi cautamente il piede, qualcosa cadde sulle piastrelle. Era l'asciugacapelli, che Monica aveva appoggiato sopra la cesta della biancheria sporca. Ma vaffanculo.

Il getto d'acqua mi strappò dallo stato ebete, andai nella mia camera avvolto in un asciugamano. Mi fermai davanti al guardaroba: i vestiti appesi attendevano minacciosi nell'armadio.

«Che c'è?» chiese Monica spiandomi dalla porta.

«Niente. Aspetta.» Presi una ciabatta da sotto il letto e la tirai contro i vestiti gettandomi a pancia in giù sul tappeto. Ahia. Monica urlò. Non successe niente.

«Mi hai fatto spaventare» disse.

«Io ti ho fatto spaventare? *Grrr.*» Presi l'altra ciabatta e ripetei l'esperimento da dove mi trovavo. Niente. Avevo finito i proiettili. Lasciando una scia di sudore strisciai sino a raggiungere un abito nero. Lo staccai dalla gruccia e corsi fuori. Nessuna esplosione neanche stavolta.

«Devi prendere anche la camicia.»

Guardai la cassettiera serpentosa. «Io i cassetti non li apro.»

«Ne ho vista una di sotto, in lavanderia, appesa ad asciugare. Ci sono passata prima e non è esploso niente. Posso prenderla.»

«Prendi anche mutande e calze.»

Alla fine riuscii a vestirmi. Camicia spiegazzata, biancheria umida. Una meraviglia. «La cravatta?» chiese Monica.

«È fuori moda, l'ho letto su Internet.»

«E devi farti anche la barba.»

«Stavo per tagliarmi via la testa, prima. Può bastare.»

Scendemmo con cautela sino alla porta d'ingresso. L'avevo aperta senza problemi poche ore prima, ma se ci fosse stato un meccanismo a tempo? In fondo il computer non era esploso subito. Ci misi dieci minuti solo a girare la maniglia. Nessun botto. Ero quasi in salvo. Mossi cautamente un piede per uscire.

«Lo zerbino!» gridò Monica.

Feci uno zompo all'indietro. «Che c'è?»

«Niente, scusa, ma potrebbe esserci qualcosa nascosto sotto…»

«Giusto, giusto.» Lo saltai e lei fece lo stesso. Sembravamo due deficienti.

«Prendiamo la tua auto» dissi arrivato al pianerottolo. «La mia non mi fido. Magari stanotte qualcuno ci ha messo le mani.»

«Potrebbe averlo fatto anche sulla mia.»

«Ok. Taxi.»

«Taxi.»

Solo a bordo dell'auto bianca riuscimmo a rilassarci.

«Devi avvisare Rosario e sua moglie» disse.

«Puoi farlo tu? Quelli parlano solo inglese.»

«E tu non lo sai più?»

«So giusto dire *how much*.»

«E pure male. Pensa che hai fatto una *conference call* con Londra la settimana scorsa.»

«Conferenceche?»

«Lasciamo perdere.» Prese il telefono e chiamò Rosario. In ferie pagate sino a nuovo ordine.

Il taxi ci mollò davanti alla sede. C'era un bel via vai all'ingresso, con gruppetti di impiegati, o quello che erano, che si fermavano a parlare con tono cospiratorio e la faccia seria. La notizia della morte di Roveda doveva tenere banco. Un pony express cinese che usciva fischiettando fu guardato malissimo da una tizia con il collo di pelliccia e smise immediatamente.

Fissai i cinque piani del palazzo. Venti finestre. Sta-

111

vo perdendo la mia baldanza. «Quanta gente lavora alla Beagle?»

«Un centinaio di persone.»

Cento sconosciuti che mi conoscevano. Che avrebbero spiato ogni mia mossa. «Ho cambiato idea, Monica. Non posso farcela.»

«E cosa vuoi fare?»

«Torno a casa.»

«Non puoi. Bombe, ricordi?»

Sospirai. «Cosa si aspettano che faccia, lì dentro?»

«Il tuo lavoro. Ma puoi anche tirarla in lungo. Non sei proprio controllato a vista.»

«Una buona notizia. Ci diamo tutti del tu?»

«Dipende.»

«Facciamo così. Tu non ti stacchi da me di un passo, va bene?»

«Va bene.»

«E quando qualcuno mi si avvicina, tu ti tocchi il naso se gli devo dire ciao, e l'orecchio se è buongiorno o buonasera.»

«Sembrerò una matta.»

«Meglio tu che io.»

Procedemmo a passo di lumaca verso l'ingresso. Una mano si alzò a salutarci, risposi nello stesso modo.

«All'ingresso c'è un cancello tipo metropolitana» disse Monica. «Devi passare la tessera magnetica, per entrare.»

«Ok.»

«Ricordati di parlare pulito. Prima non usavi il turpiloquio. Magari lo fanno tutti, ma tu no.»

«Ok.»

«E un'altra cosa. Non essere espansivo con me sul

lavoro. I colleghi sanno che abbiamo una relazione, ma in ufficio facciamo finta di niente.»

«Hai paura che ti palpi nel corridoio?»

«Saresti capace.»

L'atrio era moderno e funzionale, in rosso e blu, gli eleganti colori aziendali. Una guardiola con i vetri, tre tornelli per bloccare gli intrusi, due ascensori con le porte d'acciaio scorrevoli sul fondo. I visitatori dovevano farsi fotocopiare le carte d'identità e ce n'era una fila. Uno dei guardiani in piedi dietro i tornelli, con una divisa tipo polizia ferroviaria, mi fece un cenno di saluto. «Buongiorno dottor Denti. Una cosa terribile, vero?»

«Vero. Certo. Povero Mariano…» Monica tossicchiò. «Volevo dire, povero dottor Roveda.» Infilai la tessera, non successe niente. Riprovai dall'altro lato. Niente. Guardai Monica e lei, dopo un istante di vuoto, capì che doveva muovere il culo.

«Ehm, strano! La tessera del dottor Denti deve essersi smagnetizzata.» Recitava peggio di me. Me la prese con le dita sudaticce e la infilò in un'altra fessura. Il cancelletto emise un ronzio e si accese una lucina verde. Spinsi, il cancelletto ruotò, fui dall'altra parte. Aspettai Monica per sapere la strada, lei si diresse con decisione verso gli ascensori. Tre uomini di età e corporatura miste aspettavano la cabina.

«Ciao Franz, Riccardino, Giuseppe» disse Monica grattandosi il naso. Dissi ciao anch'io ed ebbi in cambio una risposta calorosa, degna del capo che ero. Salimmo sull'ascensore. Monica premette un pulsante e la cabina si mise in moto.

«Che storia, eh?» disse Franz. Era di piccola statura, con gli occhiali Armani e una cravatta fosforescente.

«Già.»

«Hai letto la mia e-mail?» chiese ansiosamente Riccardino, la panza che gli strabordava da sotto un completo blu. Avrei potuto specchiarmi nelle sue scarpe. «Perché quelli premono.»

«Non ne abbiamo avuto il tempo» rispose Monica.

E-mail, uguale posta elettronica. «Già, volevo leggerla a casa ma... mi si è rotto il computer.»

«Eh, già» disse Monica con una risatina isterica. «Si è rotto.»

«Ne parliamo oggi in riunione, allora» balbettò. «È confermata, vero? Anche con quello che è successo?»

Le porte dell'ascensore si aprirono e feci per scappare. Ma Monica mi trattenne. «Non siamo ancora al *quarto* piano.» Entrò un fattorino in tuta con un carrello carico di pacchi regalo incartati in carta dorata. Babbo Natale, cosa mi lascerai sotto l'albero? (Un paio di manette.)

«Mi ero distratto.»

«Allora, riunione confermata?» disse ancora il ciccione.

Merda. «È confermata?» ripetei.

«Sei tu che me lo devi dire.»

«È confermata!» strillò Monica. «Te l'ho segnata in agenda, Santo.»

«Ah, bene.»

Finalmente arrivammo al piano. Dovevo fingere di conoscerlo bene, ma rimasi a bocca spalancata a guardare. (Impara: *open space*. Impara: *badge*. Impara: *area ristoro*.) Mi aspettavo una serie di porte, invece era un unico corridoio lungo una trentina di metri, con bassi divisori verdi. Tutti vedevano tutti, intimità zero. Una decina di persone ciondolava nei corridoi con bicchierini di caffè e bottigliette d'acqua, un paio di tizie portavano fogli, uno camminava con un cocker al guinzaglio. Qualcuno si girò a dirmi ciao o buongiorno, risposi con un cenno vago. Stavo andando nella direzione sbagliata e Monica mi afferrò per un braccio conducendomi in quella che era la mia area. C'era una targhetta che penzolava appesa al soffitto con scritto *Direzione creativa*, sopra una zona d'angolo con due finestroni coperti da tende bianche. A una scrivania sedeva una tizia piccoletta sui cinquanta con i riccioli grigi. Quando mi vide arrivare si alzò in piedi. «Dottor Denti, che tragedia» quasi piangeva.

«Ciao, Rina. È proprio brutta» disse Monica tirandosi il lobo.

«Buongiorno» dissi io.

«Dottore, ci sono un po' di chiamate per lei. Ho lasciato l'appunto sulla scrivania.»

«Grazie... Rina.»

Abbassò la voce. «La polizia vorrebbe parlarle.»

«L'ha già fatto.»

«Ah, bene. Spero che lo prendano quel... quel mostro che ha fatto una cosa tanto orribile.»

«Lo spero anch'io» dissi. Se non si trattava di me, naturalmente.

Avevo in dotazione una scrivania fuori serie. Le altre erano bianco latte, la mia in legno scuro e senza un pelo fuori posto. Davanti c'erano due poltroncine in pelle, e contro il divisorio uno scaffale colmo di peluche, statuette e targhe. Sul divisorio dietro alla scrivania, una foto di gruppo incorniciata: Roveda era al centro, io al suo fianco con un sorrisone. Gli altri ovviamente non li conoscevo. Monica indicò un tizio sulla sessantina, calvo come una palla, il viso talmente abbronzato e rugoso che pareva un mocassino masticato. «Papà» disse a bassa voce.

«Piacere di conoscerlo.»

Rina sbucò alle nostre spalle. Sobbalzammo all'unisono. «Le porto un orzo?» chiese.

«No» dissi. «Anzi, sì, certo.»

Quando Rina sparì oltre i divisori, Monica mi accese il computer, un'altra sottiletta collegata a una palla bianca traforata per mezzo di un braccio snodato. «Come stiamo andando?» chiese.

«Come Gianni e Pinotto.» Presi il foglio delle telefonate e glielo passai. «Chi devo sentire?»

«Tutti, ma ci penserò io. Non sei ancora in grado. Però questa è la tua banca, ha chiamato due volte.»

«Può aspettare anche quella. Cosa vorrà dirmi, che le mie azioni sono salite?»

«Non ne hai più, di azioni. Le hai vendute due settimane fa. Contro il parere di papà, peraltro.»

«Ah.» Strano. «Cos'è la riunione di cui stavamo parlando in ascensore?»

«*Campagna Kawatsuki*. Riccardino…»

«Il ciccione…»

«Guarda che pesa meno di te… comunque, Riccardino sta seguendo il progetto di lancio stampa per uno scooter della Kawatsuki, un nuovo modello per cui hanno speso una barca di soldi. Poi verrà la Tv e il resto, ma siamo fermi al primo gradino perché il committente ha rifiutato le proposte. Limitati ad ascoltarlo e a incoraggiarlo. È Riccardino che deve trovare le idee, non tu.»

«Mica male fare il capo.»

Rina tornò con una tazza di broda. Io la sorseggiai fingendo di essere assorto in pensieri profondi. Rifiutai due telefonate. Firmai due fogli che Rina mi porgeva. Erano in inglese, non provai neanche a leggerli. Entrarono due a farmi ciao con molto rispetto, risposi fingendo di essere al telefono. Non se la presero.

Rifiutai un altro paio di chiamate. La scrivania di Monica era dietro uno dei paraventi, alle mie spalle. Ogni tanto si sporgeva a guardarmi. «Ha chiamato papà» sussurrò. Rina sembrò non farci caso, forse io e la mia *vice* ci comportavamo sempre così. «Ti voleva parlare, ma gli ho detto che eri in riunione. Ti ricorda l'incontro di domani sera.»

«Le Pecorelle? Che due marroni.» Avrei dato buca di sicuro.

«Abbi rispetto per queste cose» disse piccata. «E non dire parolacce.»

«Sì, va be'.»

«Hai controllato la posta elettronica?»

Posta elettronica = e-mail. «E come ca... volo si fa?» Non me lo aveva ancora insegnato, quello.

Lei fece il giro e tornò nel mio spazio. «Aspetta, voglio farti vedere una mail molto importante» recitò ad alta voce.

Armeggiò con il mio computer. La casella di posta si apriva cliccando sul disegnino di una busta. Cinquanta mail non lette. Guardai alcune intestazioni: *Hi, I'm Helen and I want to fuck you. Cialis. Viagra. Get a better job! Be like a fountain. We cure any desease. Figa nuova fresca aspettare tu qui. Increase your sexual life. Prima volta sesso qui. C*I*A*L*I*S.*

«Che roba è?»

«Tutto spam.»

«Qualcuno dovrebbe fare qualcosa per questa piaga, buon dio.»

«Piantala di essere blasfemo. Eccone una buona.»

Era una mail da qualcuno che lavorava su un progetto che non capivo. Mi dava appuntamento telefonico per la settimana prossima. Monica digitò un sì.

Hi, I'm Betty, 18 y.o. Rolex Replica. Sexy baby and bad erection? Cerchiamo donatori di midollo osseo.

«Spam?»

«Spam.»

«Anche quella del midollo?»

«No, quella è una catena di Sant'Antonio.»

«Ai miei tempi ti arrivavano a casa. Se non mandi questa lettera ad altre venti persone la sfiga si abbatterà su di te.»

«Uguale. Un'altra buona.»

Era la mail del ciccione. Campagna Kawatsuki. «Te la stampo, così ti puoi preparare.»

Premette il comando, Rina mi portò tre fogli a colori dopo un paio di minuti. La stampante stava sulla sua scrivania, così non dovevo stare ad alzarmi. Intanto, Monica continuava a frugare nella mia posta. Quando Rina tornò al suo posto, Monica sollevò la testa. «Il resto è roba vecchia, me la sono girata sul mio computer, e le do un'occhiata. Ho scoperto che domani si riunisce il consiglio di amministrazione per la nomina del nuovo amministratore delegato.»

«Mi riguarda?»

«Non direttamente, non ne fai parte. Ma di sicuro andrà meglio che con Roveda, no?» Indicò i fogli sul tavolo. «Studia.»

Mi sedetti e li guardai, senza osare toccarli. Fossero

stati un groviglio di serpenti velenosi li avrei graditi di più.

«Una chiamata per lei» disse Rina.

Non risposi e scivolai fuori dal mio lussuoso cubicolo. Mi mancava l'aria, mi mancavano le forze. Vagai. Dissi buongiorno a un fattorino e all'omino che riempiva le macchinette del caffè. Dissi ciao a una ragazza con tacchi di venti centimetri che sembrava parlare da sola. Aveva un auricolare senza filo incastrato all'orecchio, con un pallino blu luminoso all'estremità. Forse stava chiacchierando con il tizio appoggiato al muro a due passi, lui con un auricolare a filo, che gridava nel telefonino tenendolo davanti alla bocca come fosse un microfono. C'era da aspettarselo, con gente che stava sullo stesso piano e si mandava messaggi via computer. Trovai la porta del bagno degli uomini. Mi chiusi in un cesso e mi sedetti sul coperchio del water. Avevo voglia di vomitare, d'infilarmi nella fogna e sparire. Mi tremava anche una gamba. Vibrava, anzi. Il telefonino. *Banca*, diceva il display.

Si usava rispondere dal cesso? Probabilmente non ci faceva più caso nessuno. Magari si mandavano anche le fotografie. Aprii il coso e lo misi all'orecchio.

«Pronto?»

«Dottor Denti, qui è il Monte dei Paschi di Siena. Sono il direttore, Caliceti.»

«Salve.»

«Buongiorno. L'abbiamo cercata con una certa urgenza.»

«Ero... in riunione.»

«Capisco.» Voce gelida. «Potrebbe passare da noi in giornata?»

«Credo di essere un po' incasinato, al momento. Che c'è?»

«Dottor Denti, preferivo parlargliene a voce ma se mi costringe...»

«La costringo.»

«Oggi mi è entrato in pagamento il bonifico per l'affitto trimestrale della sua abitazione. L'ammontare è di dodicimila euro.»

Una fitta di delusione. «Ah, la casa non è mia?»

«Se non lo sa lei...»

Circa venti volte quello che pagavo prima, forse di più considerando il cambio. Per fortuna ero già seduto. «Va bene, lo paghi.»

«Lo farei volentieri ma, come lei sa, dopo giovedì scorso è impossibile.»

«Cosa è successo giovedì?»

«Strano che non se lo ricordi. È venuto a fare un prelievo di una certa... entità, direi. Attualmente il suo saldo corrisponde a zero.»

2

La tattica dei debitori è sempre la stessa. Racconti palle, ti arrampichi sugli specchi, prometti e spergiuri. I miei clienti facevano così quando volevano la merce a credito. Stavolta la parte toccò al sottoscritto, e il direttore mi fece strisciare finché non ebbi il culo piatto e l'orecchio bollente, mentre attorno a me la gente pisciava e tirava l'acqua allegramente. Alla fine accettò di coprire, a patto che versassi tutto lo stipendio, benefit, tredicesima, quattordicesima, cazzi e mazzi. Ed era un favore, ci tenne a precisare.

Riattaccai che ero uno straccio. Il pubblicitario aveva venduto le azioni e fatto sparire i soldi poco prima della morte di Roveda. Tradotto, faccio le valigie e me la filo. Bel segnale anche questo, i poliziotti ci avrebbero sguazzato. E bella sorpresa per Spillo quando avesse cercato di incassare. Ma porca di quella merda.

Uscii dal bagno pallido e sudato. Ripresi il corridoio, *buongiorno e ciao. Eh, quello che è successo è davvero terribile. Terribile, davvero. Hai guardato le carte che ti ho mandato? Hai letto l'e-mail? E l'attach?* Un tizio trascinava una gigantesca sagoma di cartone con stampata una farfalla in pelliccia svolazzante su Milano.

121

La scritta diceva: DIRITTO AL LUSSO. Magari me l'ero inventata io quella puttanata.

Monica mi intercettò prima che arrivassi alla mia scrivania. «Hai letto il memo?»

«Il che?»

«I documenti sulla Kawatsuki.»

«Non proprio.»

«Cazzo» disse a bassa voce. «Ti stanno aspettando per la riunione. In saletta.»

«Digli che sto male.»

«Non puoi.»

«Non posso.»

Mi girava la testa. Facce nemiche attorno a me, occhi che mi spiavano.

«In saletta vedrai Riccardino, la sua copy, Alessandra, e l'art director, Pippo.»

«Vedi di parlare tu, quando serve.»

«Non so che dire. Non so niente di questo progetto.»

«Meglio. Così sarai più naturale.»

Ci incamminammo verso l'altro capo del corridoio. *Buongiorno e ciao. Prendi un caffè?, No, grazie.*

«Senti, quanti soldi avevo in banca?»

«Perché *avevi*?»

«*Ho*, ho voglio dire.»

Che fai a pranzo? Scusa ho un impegno. Hai cinque minuti dopo? Domani? Dopodomani? Ti prego cagami grande capo.

«Non so. Un centinaio, credo, considerando i soldi delle azioni.»

Un centinaio che il pubblicitario si era imboscato. Mi avesse almeno lasciato un messaggio per dirmi dove. Il corridoio terminava con una parete in cartongesso, che formava un esagono di una ventina di metri quadrati. La saletta. Monica aprì la porta ed entrò toccandosi il naso.

«Ciao a tutti» dissi, non proprio allegro come avrei dovuto.

L'art director aveva i capelli lunghi che ricadevano sulle spalle, un paio di stivali da cowboy e la canottiera arancione, Alessandra era la tipa con l'auricolare che avevo beccato prima. Erano seduti a un lato di un tavolo a ferro di cavallo. Monica mi spinse su una sedia con lo schienale alto il doppio rispetto alle altre, evidentemente quella riservata a me.

«Ci sono novità sulla morte di Roveda?» chiese Alessandra.

Mi guardarono. Alzai le spalle. «Lo sa il cazzo.» Monica mi tirò un calcio dritto alla caviglia. «Intendevo dire, non ancora, purtroppo. Ma la polizia sta indagando.»

«Vedrai che torneranno qui a romperci le palle» disse l'art director. «E noi siamo già indietro.»

«Perché siete indietro?» Lo avevo chiesto tanto per dire qualcosa, ma l'art director perse immediatamente l'aria spavalda.

«Di poco, di poco. Stiamo correndo per metterci in pari. Vero, Ric?»

«Non ti preoccupare. La situazione è sotto controllo.» Ma dalla faccia che aveva, rossa e sudata, non pareva proprio.

Anche Alessandra annuì vigorosamente.

«Va bene, meglio.» Dovevo stare attento a come parlavo. «Cosa ci dobbiamo dire?»

Il ciccione si schiarì la voce. «Non credo che ci sia bisogno di un riassunto, ma se vuoi...»

«Passa pure oltre» disse Monica, secca.

«In sostanza, i clienti ci hanno tirato in faccia il progetto. Poco aggressivo, secondo loro.»

L'art director giocherellò con un ciondolo d'oro a forma di cazzo. «Te l'avevo detto, Ric. Non funziona.»

«E quando me l'avresti detto?» scattò.

L'altro alzò le spalle. «Tanto non mi ascolti.»

«Vediamo l'*esecutivo*, per favore?» chiese Monica.

«Giusto» dissi io.

L'art director aprì una cartella di cartone e ne estrasse alcuni fogli a colori, che mi allungò.

«Io credo» disse il ciccione «che ritengano sottoevidenziato l'impatto tecnologico del nuovo mezzo.»

«Capisco» mentii.

Nel primo foglio c'era il disegno di una ragazza in bikini, in sella a qualcosa di invisibile. La scritta diceva: *RRRRombante*. Nel foglio dopo si impennava sempre sulla moto invisibile. Slogan: *RRRRampante*. Mano a mano passavo i fogli a Monica, che li studiava senza aprire bocca. Il ciccione, in compenso, continuava a blaterare su quanto sforzo avesse messo nel progetto. Neanche a sua madre aveva dedicato tanto amore, neanche ai suoi figli.

La tipa compariva in varie pose: *RRRRiconoscibile*, *RRRRapido*, *RRRRiposante*. Finalmente, nell'ultimo foglio la tipa era finita chissà dove ma era apparsa la moto. Stava su uno sfondo di esplosioni nucleari, fiamme e fulmini. E se li meritava tutti. Non assomigliava a nessun mezzo che avessi mai visto. Aveva tre ruote, due davanti e una dietro, tipo centauro in bicicletta. *RRRRepellente*. Guardai Monica alzando le sopracciglia, lei scosse impercettibilmente le spalle.

«Scusate, ma la terza ruota a cosa cazzo serve?» chiesi. Appena finito di parlare, capii di aver fatto una scemenza. Era ovvio che avrei dovuto sapere la risposta.

Il ciccione mi guardò sbalordito. «Come a cosa serve?»

L'art director, invece, sembrava fulminato. «Ma sei proprio un pirla...»

«Prego?» disse Monica gelida.

«No, scusa. Non penserai mica dicessi a Santo! Ci mancherebbe. Dicevo a questo testone qui! Ric, sveglia! Non capisci che è un suggerimento?»

Riccardino si alzò in piedi, schiumante di rabbia. «A chi hai dato del pirla?»

Pippo sorrise. «Eh, come siamo suscettibili...»

«Chiedimi scusa! Chiedimi subito scusa!»

«Ragazzi...» dissi io. Non mi andava che finisse in rissa.

Pippo alzò le spalle. «Ok. Scusa.»

Riccardino tornò a sedersi. Si asciugò il sudore dalla fronte. «Dicevamo... La terza ruota... Ah! Giusto, giusto!»

L'art director prese carta e penna. «Potremmo cominciare con uno sfondo di cerchi.»

«No» disse la tipa con l'auricolare, «facciamo vedere che in natura ci sono solo animali a due o quattro gambe.»

«Ci sono anche quelli a sei, veramente» disse il ciccione. «Anche a otto.»

«Ma non lo sa nessuno» ribatté la tipa.

«Come non lo sa nessuno?» gemette il ciccione. Mi aspettai un'altra piazzata, ma doveva essersi stancato.

«Gli piacerà, gli piacerà senz'altro» disse l'art director, che aveva già riempito due fogli di schizzi.

«Va bene, mi sembra che possiamo terminare qui,

allora» disse Monica. «Lavorate su quest'idea e portateci qualcosa per... pensi che per la fine della settimana possa andare bene, Santo?»

«Certo... certo.» Ero ancora sbalordito. Mi alzai.

«Grazie» disse l'art director. «È sempre bello lavorare con te. Aria fresca!»

La tipa mi richiamò mentre avevo già la mano sulla maniglia della porta. «Scusa, Santo. Ma nel claim vuoi che ci mettiamo anche *cazzo*, o era solo per rendere l'idea?»

Li lasciammo a gridare esaltati, e ci dirigemmo verso il mio loculo. «E se gli avessi detto, *a che serve il manubrio?*»

«Non scherzare. Hai avuto una buona idea.» Monica scoppiava d'orgoglio. «Sembravi di nuovo tu.»

«Sarà.»

Rina zompò in piedi appena arrivammo a tiro.

«Dottor Denti, c'è una ragazza che desidera assolutamente incontrarla. Non ha un appuntamento, ma è stata molto insistente.» Abbassò la voce. «Non se ne vuole andare.»

Io e Monica guardammo da sopra la barriera. La ragazza in questione sembrava una modella araba. Alta e magra, con i capelli neri e mossi che le scendevano sino a metà schiena, indossava un paio di jeans e una giacca a vento rossa. Aspettava con le braccia incrociate, in piedi di fronte alla mia scrivania.

«La conosci?» chiesi a Monica.

«Mai vista. Come si chiama, Rina?»

Rina lesse un bigliettino di carta con tanto di codice a barre. Doveva essere quello che rilasciavano le guardie all'ingresso ai visitatori. «Salima Fares.»

«Va bene, ci parlo.»

«Sei sicuro?» chiese Monica. «Posso dirle di andare via.»

«No, perché?» Preferivo lei a un pubblicitario in crisi d'ispirazione. Superai il divisorio e salutai la ragazza con un «Salve» che andava bene per il tu e il lei. E le porsi la mano. «Come va?»

Lei guardò la mia mano tesa, poi alzò lo sguardo su di me. Aveva gli occhi pieni di rabbia e odio. «Figlio di puttana» disse. Mi sputò in faccia.

3

Peccato che nessuno ci abbia scattato una foto con il telefonino, tanto eravamo belli e congelati tutti quanti. La tipa piegata in avanti per lo sforzo dello sputo, io all'indietro con la saliva su una palpebra, Rina con la bocca che faceva *Ah*, Monica che faceva *Oh*, il fattorino della posta che faceva *Eh*.

«Volevo solo che sapessi quello che penso di te» disse la tipa quando l'attimo passò. «Spero che crepi.»

Diede uno spintone a Monica e corse nel corridoio.

Monica: «Saint, ma cosa...».

Rina: «Dottore...».

Fattorino: «Accidenti...».

Non mi sembravano suggerimenti intelligenti e non li ascoltai. Corsi dietro alla tipa, pulendomi con la manica. La raggiunsi a metà corridoio e l'agganciai per un polso. «Ascolta, bella, parliamo un moment...»

Non ebbi il tempo di finire la frase perché la tipa fece qualcosa che non capii bene. Spostò il peso del corpo da un piede all'altro, poi ruotò il polso nella mia mano, liberandosi e afferrando il mio in un unico movimento fluido. Alla fine diede uno strattone e io caddi sul pavimento coperto di moquette color cacca.

Riuscii ad atterrare sulla spalla invece che sul naso. La spalla con il proiettile, ahia.

Mi rialzai. L'intero piano mi stava guardando, con il rumore delle chiacchiere improvvisamente ridotto a zero. La tipa era sparita dietro l'angolo che portava agli ascensori, ma quando ci arrivai erano chiusi. Premetti il pulsante, nada: occupato. *Le scale, le scale...*

Due porte di metallo all'altro capo. Aprii la prima, e partì una sirena lacerante. Dietro c'era un balcone e la scritta *Vietato l'accesso*. Richiusi, la sirena smise, infilai l'altra. Ecco le scale. Un tizio si affrettò a gettare la cicca, con l'espressione dello scolaretto beccato a copiare. Lo superai scendendo i gradini quattro alla volta. Mi faceva male la spalla, ero lento. Quando arrivai a piano terra, la tipa non c'era. Saltai il tornello sotto gli occhi perplessi della guardia e uscii in strada. Passanti a iosa, tipa sparita.

Sbuff sbuff. Devo smettere di fumare, pensai, ricordandomi subito dopo che l'avevo già fatto e non era servito a molto. Me ne accesi una appoggiato al muro, aspettando che il cuore scendesse sotto i cento battiti. Spensi prima di rientrare – c'era scritto *Vietato fumare* anche in serbocroato – e mi avvicinai al gabbiotto di sorveglianza. Bussai sul vetro, una guardia fece scivolare la sedia fino alla finestrella. «Dica, dottore.»

«Una ragazza è salita da me poco fa.»

Pistolò sul suo computer. «Sì, la signorina Fares.»

«Le ha preso il documento?»

«Certo.»

«Mi può dire dove abita?»

Si grattò la testa sotto il berretto. «Dottore, non posso. Conserviamo i dati ma non possiamo darli a nessuno. C'è la legge sulla privacy.»

«Da quanto tempo lavora qui, lei?»

«Un anno, dottore.»

«E mi dica, le piace? Non è che è stanco, per caso, e vorrebbe trovarsi un altro posto?»

«Sono contentissimo...» cambiò tono. «Ah, capisco.»

«Bravo.»

«Non lo racconti in giro, però...» Tornò a guardare lo schermo. «Vuole che le stampi la copia del documento?»

«Voglio.»

Zap, viva la tecnologia moderna. *Salima Fares, nata ad Algeri nel 1982. Nazionalità algerina. Residenza: Milano, via Marozzi 3/a.* La foto non le rendeva giustizia. Ripresi l'ascensore con il bottino ripiegato dentro la tasca della giacca. Al secondo piano entrò un tizio sulla trentina, in maniche di camicia. Portava un'enorme cartella di plastica con il simbolo dell'agenzia. «Santo, stavo giusto venendo da te. Hai un minuto?»

«No. Ma tu hai ancora un piano.»

«Mi basta, grazie moltissimo.» Estrasse due fotocopie a colori dalla cartella. Una modella bionda e una mora, coperte solo di schiuma e sdraiate in un piatto da minestra. Detersivo per i piatti, slogan: *Delicato con la tua pelle.*

«Bionda o nera?» chiese.

Ero arrivato, scesi. «Rossa.»

«Rossa?» Fece *gulp*. «Va bene, va bene, ricominciamo da capo.»

«Bravo.»

Le porte si stavano richiudendo, le bloccò con le spalle. «Ma rossa scura o rossa chiara?»

«Fammele di tutte le tonalità. E anche riccia che fa

più paglietta per le pentole. Diamoci una mossa, perbacco.» Lo spinsi delicatamente dentro, l'ascensore ripartì.

Rina fece del suo meglio per fingere che non fosse successo niente, Monica da oltre il divisorio si mangiava le unghie. Le bussai, si voltò a fissarmi truce. «Chi era quella?»

«E lo chiedi a me? Magari mi ha confuso con qualcun altro.»

«Confuso un corno. Ti conosceva molto bene.»

«Se mi torna in mente, te lo dico.»

«Dottore, il suo pranzo.» Rina mi depositò sulla scrivania una vaschetta in polistirolo (scritta: *Super-Bio Express*) e una bottiglia di acqua Evian.

«Oh, che fame.»

Mi sedetti e aprii la vaschetta: insalata con fagioli bianchi. Ne assaggiai uno con la forchettina di plastica (scritta: *Biodegradabile al 100%*). Era una fava. Scondita.

«Ma secondo te» dissi a Monica che continuava a ronzare da sopra il divisorio «come faccio a essere così ciccione mangiando solo questa merda?»

«Di notte ti alzi e vuoti il frigorifero.»

«Che è pieno di questa roba qui, comunque. To', ci sono anche delle alghe. Pancia mia fatti capanna.»

«Non puoi far finta di niente.»

«Ti sbagli.»

Grunt, grunt. «Domani hai la presentazione della nuova campagna Ustoni.»

«Un'altra campagna?»

«Ustoni è uno dei nostri clienti più importanti. Ci hai lavorato anche di notte a casa con la squadra.

Non voglio esagerare, ma credo frutti all'agenzia un decimo del suo fatturato. Ci sarà il vecchio Ustoni in persona.»

«Mi sembra complicato. Vacci tu.»

«Non posso andarci io. Primo, la campagna l'hai seguita tu. Secondo, ci saranno tutti i direttori.»

«Pensavo di essere l'unico direttore.»

Sbagliato. Io ero solo quello creativo. C'erano anche il direttore commerciale, il direttore amministrativo, il direttore marketing, il direttore del personale, il direttore dell'ufficio stampa. Monica me li elencò, nomi compresi.

«Niente direttore dei direttori?»

«Quello era Mariano. Era amministratore delegato e direttore generale. Ci sarà però il *vice* direttore generale. Ed è un tipo da prendere con le molle. Forse faranno lui amministratore adesso, non so.»

«Giusto. Mi serve un corso accelerato in Ustoni, allora.»

«Ti mando un'e-mail con degli appunti.»

«Fai prima se me lo spieghi a voce.»

«TI MANDO UN'E-MAIL.»

«D'accordo.»

Dopo pranzo mi fumai una sigaretta nel cesso, e le due ore seguenti le dedicai a studiarmi le facce dei vari direttori sul sito dell'agenzia, con note biografiche e attitudini. Lauree clamorose, master a Oxford, imprese superumane. Il vicedirettore si chiamava Bianchi, sessant'anni, mascella da squalo e occhi grigio ferro. Bella faccia da carogna. Né lui né nessuno degli altri era una Pecorella.

Ogni tanto sbucava qualcuno a chiedermi qualche cavolata. La tecnica era quella di chiacchierare con

Rina finché li notavo, poi dicevano: «Ti porto via solo un minuto» e mi mostravano foto, spezzoni di *spot* televisivi su DVD (*impara*), o semplicemente mi spiegavano quanti guai avevano con questo o quel progetto. Le prime volte ero teso da morire, ma scoprii in fretta che non si aspettavano sapessi niente di quello di cui mi parlavano, anzi non vedevano l'ora di raccontarmi tutto da capo. Per i loro nomi e qualifiche Monica suggeriva da dietro, sibilava meglio dire, e non era molto difficile dargli soddisfazione. Non avevano realmente bisogno di suggerimenti o consigli. Volevano solo essere rassicurati che stavano facendo un buon lavoro, che gli volevo bene, farsi fare *pat pat* sulla testa. Uscivano contenti del niente che gli davo. Uno solo mi creò qualche problema, perché non era un mio sottoposto. «Direttore commerciale» disse Monica, ma già lo sapevo dal sito. Era un tizio della mia età, con il fisico da peso medio e i capelli a spazzola. Si sedette sul bordo della mia scrivania.

«Allora, hai novità?» chiese, giocherellando con le mie penne ordinatamente disposte per gradazione di colore.

Ne avevo un sacco, ma niente che potessi raccontare. «No, tu?»

«Dài, non fare il furbo, cosa ti ha detto tuo suocero?» Suocero? Ah, già, il padre di Monica. «Sarà lui il nuovo amministratore o no?»

«Non ne ho idea.»

Si alzò. «Quando hai qualche notizia passa a dirmela. O non ti importa più degli amici?»

Se lui era un amico, chissà i nemici. Borbottai qualcosa e finsi di dover telefonare, il pugile tornò in corridoio a fare il culo a un povero cristo che aveva combinato qualcosa di sbagliato.

L'ultimo a farmi visita aveva la divisa addosso. S'intrufolò mentre stavo pulendomi l'unghia del pollice usando un tagliacarte con inciso il motto *Trasparenza!* Mi accorsi che qualcosa non andava perché all'improvviso il normale brusio di sottofondo, che quasi non avvertivo più, era calato di colpo. Il mondo della B&M tratteneva il respiro e si gustava la scena. Alzai gli occhi ed era lì, imponente come un quintale di letame, uno sbirro motociclista con il casco in testa e le guance rosse per il freddo. Nell'attimo che seguì, valutai se saltare dalla finestra o prendere un'espressione scocciata. Decisi per la seconda: lo sbirro era solo e aveva una busta nella mano guantata (e le finestre erano sigillate).

«Dottor Denti?»

«Se è qui, lo sa già. Sganci.»

Nella porzione di corridoio che potevo vedere, metà del personale dell'agenzia fingeva di passare per caso. Stavo movimentando non poco la loro giornata, tra sputazzi, capriole e pubblici ufficiali. Lanciai un'occhiata assassina, si sciolsero nel nulla.

Presi la busta, intestazione *Procura della Repubblica*, firmai la ricevuta e aspettai che il pizzardone andasse via per aprirla. Quello che lessi non fu una sorpresa, Ferolli me l'aveva giurata, in fondo. Visti gli artt. tot e tot, ero convocato dal PM Antoniazzi giovedì alle 17.30, cioè due giorni dopo, come *persona informata dei fatti* in merito all'indagine *di cui al reato tale e talaltro*. Se volevo, potevo farmi accompagnare da un legale di fiducia.

Monica ansimava dietro di me, le passai il foglio. «Oddio.»

«Ce l'ho un avvocato di fiducia?»

«Sì, cioè, abbiamo un ufficio legale in azienda, ma non si occupa di queste cose. Di...» abbassò la voce in un sussurro quasi inaudibile «omicidi.»

«Va bene, ci pensiamo. Io mi schiodo.»

Schizzò in piedi. «Dove vai?»

«Ho da fare. Se mi cercano, sono in riunione con chi vuoi tu.» Salutai Rina. Salutai una miriade di facce che si protendevano oltre i divisori. Uscii all'aperto. L'aria sapeva di smog e umido, la respirai come fosse la cosa più buona del mondo. Mi era mancata dentro la scatola della B&M, mi sarebbe mancata ancora di più rinchiuso a San Vittore. Avevo conosciuto balordi che si erano fatti più anni al gabbio che a piede libero, e alla fine erano diventati incapaci di rimanere senza sbarre alle finestre. In *casanza* c'erano regole precise, sapevano chi erano, venivano rispettati. Fuori non erano nessuno, non sapevano più adattarsi senza la sveglia a orari fissi e l'ora d'aria. Finivano per farsi riacchiappare nel giro di sei mesi, ed era meglio stargli lontano. Chissà se sarei diventato anch'io come loro. Per come mi sentivo al momento, era più probabile che alla prima occasione mi fracassassi la testa contro il muro.

Taxi, traffico.

«Bel posto, via Marozzi» disse l'autista in milanese stretto. Lo parlava ancora qualcuno, pareva. «Se mi arriva una chiamata da lì, io non ci vado.»

«Perché?»

«Sono tutti negri, con poca voglia di lavorare e tanta di fare casino. Quella lì è una casbah, glielo dico io.»

«Se me lo dice lei, allora...»

Capii quello che intendeva quando arrivammo. Via Marozzi era una traversa di via Vitruvio, a due passi dalla Stazione Centrale, e da quando c'ero passato l'ultima volta era cambiata parecchio (correzione: da quando mi *ricordavo* di esserci passato). Negozi di cianfrusaglie, ristoranti Maghreb e Addis Abeba, sui marciapiedi quasi solo africani o arabi. Niente luminarie natalizie, da quelle parti.

Sbarcai a fianco di una MACELLERIA ISLAMICA che mi fece pochissima voglia, nonostante lo stomaco reclamasse cibo vero. Cocci di bottiglia sul marciapiede, cartacce, puzza di piscio. Il 3/a era un palazzo di quattro piani che stava in piedi per miracolo: le tendine a fiori su qualche finestra non riuscivano a coprire lo sfacelo generale di muri sbriciolati, balconi con i tondini di ferro scoperti, persiane pericolanti. Era accanto a un piccolo negozio con le vetrine annerite e spaccate, tenute insieme con chilometri di nastro adesivo. Si vendevano telefonate a prezzi scontati: almeno cinquanta stranieri di ogni razza si pigiavano in attesa del loro turno alle cabine. PHONE CENTER *(impara il termine)* K2, diceva l'insegna. Facendo luce con l'accendino cercai "Fares" sul citofono del portone a fianco, ma qualcuno gli aveva dato fuoco, e le targhette erano carbonizzate.

«Chi cerchi?»

Sulla porta del telefonificio si passavano una boccia di birra tre ragazzi arabi, vestiti come i Public Enemy: pantaloni larghissimi che strisciavano per terra, berretta di lana, giubbotto, cinquant'anni in tre. Mi guardavano come si guarda una scimmia allo zoo. Chi aveva parlato era il più anziano, con un accenno di barba e baffi.

«Salima Fares. Abita qui, ma non so il campanello.»

«Salima? Tu cerchi Salima? E perché la cerchi?»

Era una bella domanda e me l'ero fatta anch'io durante il tragitto. Con i guai che avevo, andavo a cercare una tipa a cui facevo schifo e che difficilmente poteva avere a che fare con la morte di Roveda. Ma non ero riuscito a evitarlo. Sentivo, in qualche modo, che era importante saperne di più. «È una mia amica.»

«Ah, Salima è una tua amica?»

«Se vuoi ricomincio a spiegarti da capo.»

Cominciarono a parlare tra di loro in arabo misto a francese. Sperai non si stessero dicendo: *gli ciuliamo il portafoglio a questo imbecille*. Erano in disaccordo sul da farsi, e discussero animatamente per mezzo minuto, fino a quando l'*anziano* non diede una spinta al più rumoroso dei suoi compari, chiudendo la trattativa. «Non è in casa» disse. «Ma ti posso portare io da Salima.»

«Grazie. È lontano?»

«No, qui a due passi. Da quella parte.»

Indicava una traversa, ancora più piccola e buia della via dove mi trovavo. «Lì?» Non morivo dalla voglia.

«Sì. Dài, vieni.»

Inutile starsela a menare, o mi volevano fregare oppure no. In entrambi i casi, lo avrei saputo a breve. I tre mi aspettarono finché non mi inserii tra di loro, poi mi scortarono come una guardia d'onore, uno al mio fianco e due dietro. Sarebbe stata dura anche scappare. «Io mi chiamo Ragiul» disse l'anziano quando svoltammo l'angolo.

«Io Santo.»

«Se sei un santo, com'è che non sei in paradiso?»

I tre risero come se fosse stata una gran battuta. Me la sentivo ripetere dalle elementari. Anche sul cognome mi avevano fatto due coglioni così, per questo ero stato contento di cambiarlo in Trafficante. Chissà se se lo ricordava ancora qualcuno, adesso. Meglio di no, forse.

Il vicolo era deserto. Sembrava uno di quelli di Starsky e Hutch dove gli sfigati inseguiti scappano, rotolando tra i bidoni dell'immondizia, per scoprire che alla fine c'è solo un muro. C'era un muro, infatti. Vicolo cieco.

In trappola.

Pirla.

4

Raddrizzai la schiena e mi voltai. I tre erano ancora tranquilli, mani in tasca ed espressione placida. Niente lame o catene visibili. Forse se mi mettevo a correre potevo raggiungere la strada prima che mi prendessero, ma giudicai fosse meglio trattare. Implorare, magari. Ma se volevano qualcosa di più dei soldi?

Alzai le braccia. «Va bene, parliamone.»

«Di che?» chiese Ragiul. «Entra, che fa freddo.»

Prego? «Entro dove?»

«Lì.»

Seguii il suo indice. Puntava una porta di ferro arrugginito, seminascosta tra i sacchi di mondezza ammonticchiati contro il muro. Non l'avevo vista, tra il buio e la strizza. «Ah, scusa. È che avevo pensato... Niente, ah ah ah.»

«Non tutti gli arabi vogliono la pelle dei cani infedeli, Santo. Di solito, nel tuo paese, succede più il contrario.»

«Me lo terrò a mente.» Figura di merda. Una in più, una in meno, non faceva ormai molta differenza. La porta cigolò mentre la aprivo. Odore di muffa, un suono lontano di voci come un coro, ritmato. Uno dei ragazzi fece scattare un interruttore e una lampadina rischiarò uno stretto corridoio ingombro di mobili marci, con una rampa di scale al centro. «Che posto è?»

«Una volta era una fabbrica» disse Ragiul.

«No, un panificio» lo corresse uno degli altri due che non si erano presentati.

«Va be', adesso è vuoto. E ce lo siamo presi noi. Salima è di sopra.»

Feci due rampe di scale. I muri erano coperti di scritte in arabo, ma qualcuno teneva pulito e aveva aggiustato le parti rotte del corrimano con filo di ferro e tavole di compensato. Meglio non appoggiarsi, però. Salendo, il coro di voci si faceva più forte. Continuavo a non distinguere le parole, ma erano frasi brevi e secche, accompagnate da colpi attutiti. Al secondo piano Ragiul mi passò davanti e aprì una porta blindata, che sembrava recente. Fece un mezzo inchino, tenendomi il battente perché passassi. «Arrivato sano e salvo, cane infedele.» Superai la porta. Le voci erano fortissime adesso. Voci di...

Bambine. Ne contai una ventina, tra i cinque e i dieci anni. Un unico stanzone illuminato da una coppia di neon che dondolavano al centro del soffitto, sbuffi di vento che entravano dagli infissi marci. Le bambine si stavano allenando a piedi nudi su un pavimento di cemento rivestito alla bell'e meglio da coperte di lana multicolori. Nonostante la temperatura fosse all'incirca quella di fuori, erano in maglietta e calzoncini, ordinate in cinque file come soldatini. Salima stava in piedi davanti a loro, con un kimono e una cintura nera legata attorno alla vita. Il volo che mi aveva fatto fare alla B&M si spiegava.

Salima disse: «*Yi!*» alzando il pugno destro.

Piegò un braccio: «*Er!*».

Mosse un piede: «*San!*».

Le ragazzine ripetevano gesti e grida, e sembravano convinte di quello che stavano facendo. La più vecchia non doveva avere più di dieci anni, la più piccola forse quattro, ma non sbagliava una mossa. Non c'erano adulti.

Salima fece scattare il braccio sinistro in avanti, palmo aperto. «*Si!*» Si sentiva l'aria frusciare tanto si muoveva veloce. Ripeté i movimenti tre volte, poi batté le mani. «Brave. Adesso vediamo di rifarlo da capo, più velocement...» Mi aveva visto. «Cinque minuti di pausa. Sedute e fate le respirazioni come vi ho insegnato.»

Le bambine si accovacciarono all'unisono, mentre Salima veniva nella mia direzione.

«Possiamo parlare prima che mi triti?»

«Non qui» ruggì.

Ragiul e gli altri strisciarono i piedi, imbarazzati. «Ha detto che era un tuo...»

«Filate via. Non voglio uomini da queste parti, sono stanca di ripetervelo. E neanche ragazzini brufolosi. Fuori.»

«E lui?» chiese Ragiul indicandomi.

«A lui ci penso io.»

Poco rassicurante. I tre si infilarono nella porta senza dire ba.

«Tu con me, invece.»

Dietro la palestra c'era una piccola stanza, che doveva essere quella che Salima usava per cambiarsi: forse una volta era stato un ufficio o un ripostiglio. Adesso era spoglia, a parte una sedia con una borsa, dei vestiti e la giacca a vento rossa ammucchiati sopra. Su una parete era incollato un poster con il disegno del corpo umano e le scritte in cinese che indicavano i vari punti dove infilare gli aghi.

Salima richiuse la porta con un calcio, doveva avere il piede duro come lo zoccolo di un cavallo, e incrociò le braccia. «Che cazzo vuoi?»

C'erano alternative? No. «Ho avuto un incidente. Ho perso la memoria. Non so chi sei. Non so perché mi hai sputato. Vorrei saperlo, se non ti scoccia.»

Lo dissi d'un fiato, per evitare che mi azzannasse. Sul suo viso passò una serie di espressioni a ritmo con le mie parole: rabbia, fastidio, sarcasmo. Alla fine si fermò su: *scettico.* «È la tua scusa?»

Scartocciai il pacchetto nuovo. «Posso fumare qui?»

«No che non puoi... Fumi?»

«Nell'ultimo ricordo che ho, facevo fuori due pacchetti al giorno. Adesso mi sto limitando. Come non detto, le metto via.»

Si avvicinò, per guardarmi da vicino. La pelle della gola era imperlata di sudore e gli occhi erano due pezzi di carbone. «Non ci credo.» Una crepa nella sua espressione. «Non è possibile.»

«Non ti ho mai visto prima. Non so chi sei.»

Strinse le labbra e mi tirò una sberla. Non reagii. «Dimmi come mi chiamo.»

«Salima.»

Un'altra sberla, più forte. «Come mi chiamo?»

«Salima Fares, cazzo.»

Un'altra sberla. «Il mio nome!»

Mi rintronavano le orecchie. Un attimo di vuoto, un giramento di testa...

Sally.

«Sally?» dissi.

Lei fece un passo indietro, come se l'avessi colpita.

«Ti chiami Sally?»

Si piegò in avanti, tossendo. Mi spinse via e spalancò un'altra porta. Dava su una turca rugginosa senza finestre. Si inginocchiò, il corpo scosso dai conati di vomito.

Sally. Il nome era uscito dal nulla. Eppure sapevo che era quello giusto. Mi chinai accanto a lei, tenendole la fronte, come facevo qualche volta al mio vecchio quando tornava a casa sbronzo. Cioè quasi sempre.

«Come stai?» le chiesi.

«Sta... sta passando.»

Colpo di tosse, saliva, conato.

«Indigestione?»

Mi spinse via e si rialzò. Prese un asciugamano dalla borsa e si asciugò la bocca. «Proprio una bella indigestione, che dura da tre mesi.»

«Dovresti andare da un dottore.»

«Sono incinta, animale! E tu lo sai benissimo.»

«Ti ho detto che non mi ricordo una mazza.» Il flash della consapevolezza fu di quelli che ti partono dalla cima della testa e ti frullano fino ai piedi, scivolando gelido lungo le vertebre. *No, santa merda, no,* pensai. Ma sapevo che era un sì. «È...»

«Eh, già. È tuo figlio.»

Mi lasciai cadere sul pavimento. *Bravo inseminator.* «È... è normale?»

«Il bambino?»

Annuii.

«Sei scemo? Perché non dovrebbe essere normale?»

«Con la sfiga che ho addosso in questi giorni... magari aveva due teste...»

La sua espressione adesso era: *possibile che sia vero.* La mia era: *mi ammazzo.*

«Stavolta fumo e me ne sbatto. Ne ho bisogno.»

«Una sola.»

«Sono papà.» Pensai che ero troppo giovane per fare il padre. Poi mi riaggiornai: ero quasi troppo vecchio. «E, scusa se te lo chiedo, lo vuoi tenere?»

«Sì!»

«Giusto. Ci mancherebbe. E me lo avevi detto?»

«Cazzo, Santo.» Fece un passetto verso di me. «Pensavo che... pensavo che mi avessi mollata.»

«Io... che nome è Sally?»

Un altro passetto. «Me l'hai dato tu. Era una cosa tra noi.»

«Il tuo nome è la prima cosa che ricordo, da tre giorni a questa parte.»

Passetto. «Solo quello?»

Se si era aperta una porta da qualche parte nel mio cervello, si era già richiusa. «Mi sa di sì. Io e te quindi abbiamo una storia.»

«Da quasi un anno.»

«E me l'avevi detto. Come l'ho presa?»

«Male. Abbiamo... discusso molto. Poi mi hai chiesto del tempo. E sei sparito. Non mi hai più risposto al telefono, non ti sei più fatto vedere. Io ho aspettato per due settimane.»

«Fino a stamattina.»

«Mi ero svegliata male.»

«Anch'io.» Tirai la sigaretta nella turca. «Sono già stato qui?»

«No.» Passetto.

«Che posto è?»

«Il nostro centro. Sotto c'è una sala per pregare e

144

una con i giochi. Questa parte invece è mia. Ci tengo un corso per le bambine.»

«Judo?»

«Karate.»

«Perché?»

«Perché imparino a difendersi. Le famiglie più integraliste sequestrano i documenti alle ragazze per tenerle in casa, e le picchiano se cercano di vestirsi all'occidentale, o se solo le vedono parlare con i maschi. A una che abita qui vicino il padre ha ustionato i piedi con il ferro da stiro, per impedirle di uscire.»

«Dovresti fargli cambiare religione.»

«La religione non c'entra. C'entra l'ignoranza.»

L'ultimo passetto l'aveva portata a un centimetro da me. Alzai la faccia. Salima mi sembrava bellissima e spaventosa con quello che portava in pancia. Allungai una mano per prendere la sua.

Fu in quel momento che le bambine cominciarono a urlare.

5

Quando ci affacciammo, nella palestra stava succedendo il finimondo. Le bambine saltavano da tutte le parti, piangendo e gridando. E sulla porta c'era un mostro, un robot con in mano un fucile. Il robot gridò: «State ferme e non succederà niente. Dove sono i vostri genitori, dove sono?». Ripeté la frase in francese.

Salima corse in mezzo alle sue allieve, io rimasi paralizzato dove mi trovavo. Che cos'era quella roba? Che stava succedendo? Gli alieni, i Dalek? Al primo robot se ne aggiunsero un secondo e un terzo e solo allora capii che erano uomini, coperti da una tuta nera antiproiettile, con un passamontagna e un casco dalla visiera scura. Sul braccio lo scudetto GIS. Erano le forze speciali dei carabinieri.

Uno dei robocaramba si avvicinò a Salima e le urlò afferrandole un braccio: «Le faccia stare ferme, signorina! Mi capisce?».

Ebbi il terrore che Salima gli facesse il giochetto della capriola, ma era più intelligente. Non si ribellò. Da fuori adesso penetrava il fragore delle pale di un elicottero a bassa quota sopra l'edificio. Sciabolate di luce attraverso i finestroni. Vibrazioni nei muri.

Salima gridò qualcosa in arabo. Le bambine urlarono più forte. Non ci si capiva più un cazzo. Il rumore dell'elicottero era diventato assordante, pezzi di vetro che volavano. Un robocaramba mi vide. Mi puntò contro il fucile: «Sdraiati a terra! Subito!».

Dalle scale arrivarono altri robocaramba. L'elicottero continuava a volare basso. Le bambine piangevano. Dai finestroni si sporgevano passamontagna e canne di fucile. Pigolio di radio, sirene dalla strada, botti, parapiglia, grida.

«Ho detto a terra!»

Mi buttai giù. Il robocaramba corse da me e mi palpò. Mi strappò il portafoglio ed esaminò la mia carta di identità. Un altro mi legò qualcosa sui polsi e me li strinse dietro la schiena. Non erano manette, ma funzionavano allo stesso modo. Il sangue smise di scorrere nelle dita.

«Ma che cazzo sta succedendo?»

Il robocaramba mi tirò in piedi. «Muoviti.»

Salima non aveva subito il mio stesso trattamento, niente manette, forse perché era una donna. Ma la trascinarono comunque con me giù per le scale.

«Le bambine!» disse cercando di tornare indietro. Un robocaramba le diede una spinta. Sarà stata la confusione del momento, ma reagii come un fesso. «Ehi, pezzo di merda!» gridai, ma appena mossi un passo nella loro direzione, quello che avevo dietro mi diede un colpo in mezzo alla schiena con il calcio del fucile. Probabilmente non lo fece apposta a colpirmi così forte. In fondo ero un bianco benvestito nel posto sbagliato al momento sbagliato. Ma ero in bilico su un gradino e persi l'equilibrio. Con le mani legate non potevo afferrarmi a niente e piombai contro il corrimano, sfondandolo.

Entro al bar di Oreste. Che bello, non è cambiato niente. I tavoli zozzi, i bolliti che faticano a tenere gli occhi aperti, le casalinghe alcolizzate, l'odore di fritto e di rancido.

Oreste allarga le braccia dietro il bancone per salutarmi. Com'è invecchiato, i baffi sono bianchi, ha perso i capelli. «Ehi, guarda chi c'è: Trafficante!» grida. «Ma dove sei stato tutto questo tempo? Dài, ti faccio il mio cocktail speciale.»

Oreste mi allunga un bicchiere pieno di un liquido marroncino. Lo annuso, l'odore è sgradevole, mi fa tossire, sa di...

Ammoniaca.

«Da bravo, respiri.»

Tossii ancora. Aprii gli occhi. Un infermiere con una pettorina arancione. Cercai di alzarmi, l'infermiere mi tenne giù. «Aspetti, buono... Ha preso una brutta botta.»

Avevo male alla fronte e voglia di vomitare. Ero sdraiato su una barella. Attorno a me grida, pianti, rumori di scarponi e vetri spaccati. Mi puntellai su un gomito, e una fitta mi trapanò la testa.

«Le ho detto di stare giù» ripeté l'infermiere.

«Levati dal cazzo.»

Ci riprovai, barcollai, mi tirai in piedi. La barella dove mi avevano sistemato era piazzata al centro del vicolo cieco. Una fotocellula degli sbirri, che spuntava da un camioncino, illuminava a giorno. Lungo entrambi i lati file di arabi con la faccia al muro. Erano almeno una cinquantina, ammanettati con dei legacci di plastica bianca. Ecco cosa mi avevano messo. Mi guardai i polsi, c'erano dei segni rossi che li attraversavano. Facevano male, quasi come la testa. Me la toccai: avevo un bozzo grande come un melone. Figli di puttana.

I robocaramba perquisivano gli arabi uno alla volta, li tenevano in piedi a calcioni e sberle. Alcuni avevano la faccia insanguinata, molti erano in maniche di camicia e maglietta, un paio senza scarpe. Un robocaramba si avvicinò a me quando mi vide in piedi. Aveva in mano la mia carta d'identità, me la restituì. «Lei può andare.» Ai suoi colleghi: «Fatelo passare!».

«Dov'è Salima?» Non la vedevo lungo i muri.

«Ho detto che può andare. Muoversi!»

Il robocaramba mi prese per un braccio e mi trascinò fuori dal vicolo, dove c'era più gente che dentro. Donne, un mare di donne. Il phone center era presidiato. Dentro altre perquise, e un cordone di robocaramba fuori. La via era piena di blindati e macchine di sbirri vari, i ristoranti avevano abbassato le saracinesche. Corpi che mi urtavano, voci che parlavano in tutte le lingue del mondo tranne la mia. C'era anche un camion dei pompieri, con la scala puntata contro una finestra del palazzo di Salima. Robocaramba anche lì, che salivano e scendevano. Salima non si vedeva da nessuna parte. Avvicinai una tizia avvolta in un velo che le lasciava scoperti solo gli occhi e la punta dei piedi. «Hai visto Salima? Salima, mi capisci?»

Scosse la testa e scappò via. Provai ancora, ancora e ancora, ma nessuno capiva. Fu un italiano ad avvicinarsi. Lo avevo visto discutere con un robocaramba che bloccava l'accesso al vicolo, un uomo sui quaranta, con un giaccone di montone e gli occhiali rotondi. «Mi scusi, lei era l'uomo che è stato portato fuori in barella?» mi chiese.

«Sì.»

«Ho bisogno di parlarle cinque minuti.»

Una macchina degli sbirri, normali sbirri senza armatura questi, passò sgommando tra due ali di folla. Che si aprì e si richiuse immediatamente.

Il tipo li guardò passare. «Non ci si crede a quello che stanno combinando qui.» Nuotammo tra la gente sino a un piccolo spazio libero nella via, davanti a un bar chiuso. Mi lasciai cadere su un panettone di cemento decorato con un pinguino. La fronte pulsava a ritmo con la spalla, e avevo ancora nel naso l'odore (*del cocktail*) dell'ammoniaca. Per scacciarlo presi una sigaretta dal pacchetto che trovai in una tasca diversa da quella in cui l'avevo messo. Ero passato da un incubo all'altro. Cazzo.

«È un'operazione antiterrorismo» disse il tipo. «Credo non stia succedendo solo a Milano.»

Pensai BR prima di ricordarmi l'allegra epoca in cui mi trovavo. «Cercano i cosi... i kamikaze?»

«Sì.»

«E ce ne sono, qui?» Ragiul e i suoi amici non mi sembrava avessero la faccia giusta, ma non si sa mai.

«Chi può dirlo? Ma in genere trovano solo qualcuno con un po' di hashish in tasca e immigrati senza permesso di soggiorno. Li arrestano, li tengono dentro un paio di mesi, e in seguito li espellono o li mandano in un centro di permanenza temporanea. Ma vedrà, domani sui giornali scriveranno che l'operazione è stata un successo».

«Capita spesso?» chiesi.

«È la guerra.»

La guerra un paio di palle, non ero abituato ad averla sotto casa. Una fila di arabi veniva fatta salire su un pullman dei carabinieri, con i vetri oscurati. Galera, poi centro di permanenza. Non sapevo cosa fosse il secondo, ma sperai di non capitarci.

«Mi ha chiamato un ragazzo del centro islamico» proseguì «ma quando sono arrivato i GIS erano già entrati. Non che sarebbe servito a niente, se fossi arrivato prima.» Parlava in tono tranquillo, ma sotto sotto era incazzato come una biscia. «Mi scusi, non mi sono presentato. Mi chiamo Mirko Bastoni.»

«Santo Denti. Conosce Salima?»

«Fares? Sì, certo. È una delle attiviste, qui.»

«Sta bene? Eravamo insieme prima che volassi per le scale.»

«Sta bene. È in un cortile con i bambini. Li sta tenendo buoni fino a quando smettono di perquisire le case dei loro genitori.»

«E lei non rischia di essere deportata?»

«No, il suo permesso è in regola.»

Almeno quello. «Di cosa voleva parlarmi?»

«Sono un avvocato. Lei è stato picchiato e Salima mi ha detto che era nella palestra quando sono entrati e hanno spaventato le bambine. La sua testimonianza potrebbe essermi utile quando farò istanza per la liberazione degli arrestati.»

«Servirà?»

Sorrise. «A volte si fa qualcosa perché è giusto, non perché serve. Posso contare su di lei?»

Scossi la testa. «No. Ho troppi guai al momento per prendermene altri gratis.»

Non se ne ebbe a male. «Se ci ripensa, lo dica a Salima.»

«Va bene.» Mi frullò un'idea. Onesto, di buon cuore, perché no? E mica ne conoscevo altri come lui. «Questi non la pagano, immagino.»

«Talvolta capita, ma non molto spesso. Perché?»

Dalla tasca dei pantaloni tolsi il foglio del tribunale e glielo passai. «Forse le serve un cliente coi soldi.»

Si posizionò per farsi illuminare dal riflettore, lesse rapidamente e mi ripassò il foglio. «È stato lei?»

«Non credo. Allora, ci sta?»

«Io sono un po' preso, come può immaginare. Mi chiami domani, vedo se nel mio studio c'è qualcuno libero.»

Mi diede un biglietto da visita, mentre il casino nella strada andava scemando. Gli dissi il mio numero, ormai lo sapevo, e lui lo salvò sul cellulare. I blindati rombavano via, le scale dei pompieri venivano ripiegate. «Io vado a incontrare Salima» disse Mirko. «Viene con me?»

Lo seguii fino al cortile nel retro del phone center. Oltre il cordone di sbirri, anche questi senza armatura, vidi Salima. I capelli stretti da un elastico, con un maglione preso da chissà dove sopra il kimono. Le sue bambine, e una trentina di maschietti, stavano disegnando sul muro con i pastelli a cera. Lei consolava quelli che piangevano e fingeva fosse tutto a posto. Ragiul le dava una mano, facendo giocare a pallone i più grandicelli. Sarebbe stata una scena da libro *Cuore*, se sui ballatoi del palazzo non ci fossero stati robocaramba con i fucili spianati e genitori con le braccia alzate. Quando Mirko mostrò il tesserino, gli sbirri si spostarono per farci passare. Entrò. Io mi fermai. Salima corse ad abbracciare l'avvocato, e mi guardò da sopra la sua spalla. Ci fissammo, lei perse il sorriso.

Girai la schiena per non vederla e mi feci largo a spintoni tra la gente che ancora assiepava la via. Presi il primo tram in via Vitruvio, e cambiai seguendo le indicazioni delle paline che adesso segnavano anche i tempi di attesa. I percorsi erano stati modificati dai miei tempi, ma riuscivo ancora a orientarmi. Non mi sedetti mai perché avevo paura di non riuscire a rialzarmi. A metà strada vidi passare la croce illuminata di una farmacia. Saltai giù e comprai un pacchetto di analgesici pagando e ritirando attraverso lo spioncino della saracinesca, come facevano i tossici. Dietro il buco, vetri blindati e telecamere. Inghiottii mezza scatola senz'acqua, e risentii il sapore di ammoniaca e polvere.

Nuovo tram, ero l'unico a bordo a parte una coppia di giovani cinesi che si tenevano per mano, ascoltando musica da un walkman piccolissimo e bianco. In strada passavano poche auto, un camioncino dell'ATM riparava i binari, un ubriaco litigava con un gatto. Non andai a casa, e non solo per le bombe. Quel posto racchiudeva le incognite che il pubblicitario mi aveva lasciato, e non ero sicuro di volerle scoprire. Dovevo, certo, ma a ogni passo che facevo saltava fuori qualcosa che mi confondeva, mi dava orrore e spavento. Non dormivo da quarantott'ore, la testa mi rimbombava.

Chiusi gli occhi. Robocaramba. Bambine. Feti. Nausea. Dolore. Presi l'autobus che portava all'aeroporto di Linate, e scesi poco prima. L'unico motel che avessi mai frequentato a Milano si chiamava Cupido. Ci dormiva una modella che cenava con un bicchiere d'acqua e un grammo di coca, poi si faceva scopare come fosse già morta.

Il Cupido c'era ancora e sembrava sempre lo stesso: guardiola per pagare senza scendere dall'auto, atmosfera silenziosa e discreta, come diceva la pubblicità. Il portiere non alzò neanche gli occhi dal giornale. (Impara: *connessione Wi-Fi*.) Carta di credito, zip. Bungalow tra gli alberi, abat-jour con lampadina rossa.

Mi tolsi cappotto e scarpe. Bevvi due bottigliette di vodka dal minibar. Mi sbattei sul letto. Nello specchio sul soffitto ero un barbone sudicio, con un corno sulla fronte e un calzino bucato. Altra bottiglietta di vodka. La vuotai e la tirai contro la porta per vedere che rumore faceva. Fece *toc*. Spensi la luce, mi rigirai. La riaccesi. La rispensi. Accesi il televisore. Un tizio vestito da chef che tagliava di ogni: scarpe, lastre di pietra, martelli, surgelati e pane posso. Su un altro canale una tizia in tanga si toccava, mentre scorreva in sovrimpressione una serie di numeri di telefono: *Calda padrona, Zitto e godi, Ragazze in linea per te, Casalinghe arrapate, Studentesse in calore*. Un documentario sull'uranio impoverito: i soldati crepavano tornati a casa dal fronte ma non fregava un cazzo a nessuno. Un vecchio film che avevo già visto. Tette e culi. Materassi gonfiabili. Scarpiere. Due lesbiche.

Un'altra bottiglietta. Whisky. Nausea, fitte alla schiena e alla pancia. Riuscii a trascinarmi in bagno e vomitai nella vasca idromassaggio. Tornai a letto. Qualcosa mi tremava dentro. Sentivo urla e sirene. Spensi e riaccesi la luce. Cercai di farmi una sega. Cercai di non pensare e di non sentire. Feti. Sbirri. Guerra.

Mi sedetti sul gradino fuori della porta. Faceva freddo, mi piaceva il freddo. Una donna uscì dal bungalow a fianco. Aveva gli occhiali scuri, i capelli neri, la pelliccia. Mi guardò.

«Quanto vuoi?» le chiesi.

Non disse niente.

Tirai fuori una manciata di euro dal portafogli. «Su. Potrebbe essere l'ultima scopata della mia vita. Chissà cosa mi succederà domani, o dopo. Ho anche le carte di credito. Tre, di tutti i colori.»

Una macchina uscì dal garage del bungalow, un uomo aprì lo sportello alla tipa.

«Che cazzo vuole quello?»

«Niente, è fatto. Lascialo stare.»

Andarono via. Rientrai. Feci un altro giro dei canali. Ne trovai uno che mandava video musicali. Bob Dylan, vecchio da non credere, cantava *Like a Rolling Stone*. Misi il volume al massimo, la stanza rimbombava. Dopo cinque minuti arrivò il portiere. Aprì con la sua chiave. Spense il televisore e mi guardò.

«Ma cosa accidenti sta facendo? Devo chiamare la polizia?»

Gli saltai addosso e lo presi per il colletto della giacca. «Voglio tornare indietro!» urlai. «VOGLIO TORNARE INDIETRO!»

Quarto giorno

1

Un pelo della moquette mi solleticò la narice e star-
nutii. Aprii gli occhi, ero sdraiato sul pavimento, tanto per cambiare, ma perlomeno questa volta non era
quello di un cesso. La fronte mi pulsava, anche se molto meno della sera prima, e avevo un topo morto al
posto della lingua. Delle ultime ore mi rimanevano
solo ricordi confusi e frammentati: neppure questa
era una gran novità. Prima di addormentarmi, chissà
perché, avevo disegnato un enorme punto interroga-
tivo su uno degli specchi, usando il tubetto di dentifricio in dotazione che adesso galleggiava nella vasca
intasata. Il televisore non c'era più. L'aveva portato
via il portiere, ricordavo vagamente.

Nel frigobar era rimasta giusto una birra e la usai
per togliermi l'arsura e inghiottire altre capsule di
antimale. Allo specchio avevo la faccia stralunata, e il
bozzo si era appiattito in una macchia nerastra che
andava dall'attaccatura dei capelli alla radice del naso. Occhi rossi. Sul telefono trovai tre chiamate di
Monica, due della sera prima e una delle otto e trenta. Erano le nove passate.

Mio dio, Ustoni!

Il portiere da cui passai a ritirare il documento per fortuna non era lo stesso della sera prima, ma sul conto trovai un extra sotto la scritta: *Pulizie speciali*. Non ebbi cuore di chiedere cosa fossero, presi un caffè alla macchinetta a gettoni, e mi feci chiamare un taxi che mi scodellò davanti al mio luogo di pena. Il solito viavai all'ingresso, tutti sembravano leggermente imbarazzati al vedermi. Feci finta di niente e me la cavai con il cancello elettronico al secondo tentativo. Salii in ascensore con un fattorino che fece del suo meglio per non guardarmi. «Come va, brutto tempo, eh?» chiesi. Diventò rosso e non disse niente. *Ciao, buongiorno, come va?* Rina aveva una biro in mano quando entrai nel mio loculo, e quasi se la infilò in un occhio. «Dottore, cosa le è successo?»

«Perché?»

«Come perché? Ma non ti vedi? Sembri un homeless.» Monica era saltata come una molla da oltre il divisorio. «E la faccia. Cos'hai sulla fronte?»

«Un bozzo.»

«Un bozzo, lo vedo anch'io che è un bozzo. Che ti è successo?»

«Sono caduto con la bicicletta.»

«E da quando vai in bicicletta?»

«Cos'è? Un interrogatorio?»

«Togliti il cappotto, e la giacca.» Lo feci, sentendo strani scricchiolii. Un pezzo di fango secco si staccò da una manica. Sperai fosse fango, perlomeno. «Rina, per favore, porti i vestiti del dottore in lavanderia. Veda se possono fargli un lavoro espresso. C'è perfino un buco, che disastro.»

«Devo togliermi anche i pantaloni?»

«E mi porti uno smacchiatore, per favore, Rina.»

«Subito dottoressa.» Sparì con il carico puzzolente, e Monica frugò nei miei cassetti. «Dovresti avere una camicia di scorta. Eccola. Togliti subito quella schifezza.»

Cominciai a slacciarmi. «Non qui, in bagno. Vuoi dare spettacolo?»

«Sono un creativo, no?»

«Ma che bravo. Prendi anche questo.» Mi passò un flacone di collutorio. Avevo di tutto nel cassetto, mancava giusto il ferro da stiro. «Hai un alito terribile.»

Obbedii. Collutorio, camicia. Beccai Riccardino che usciva da uno dei cessi, nascondendo qualcosa in mano. Mi vide e divenne rosso. Il qualcosa era una mignon di whisky, tipo quelle che mi ero scolato io la notte prima.

«La colazione dei campioni.»

«Dobbiamo parlare, Santo.»

«Scusa, ma ho altri problemi al momento che il tuo scooter.»

Gettai la camicia vecchia nel cestino dei rifiuti: neanche Mastro Lindo in persona sarebbe riuscito a farla tornare pulita. Riccardino mi fissò, divenne ancora più rosso e uscì sbattendo la porta.

Mi guardai allo specchio. Si era scheggiato un dente durante il bordello al centro islamico? Possibile. Ma forse era successo *prima*.

Rina era tornata al suo posto. Mi passò uno smacchiatore che sembrava un pennarello e lo sfregai sui pantaloni sino a quando le macchie non si stemperarono in un unico alone. Per fortuna non avevo scelto l'abito bianco. «La giacca sarà pronta oggi pomeriggio. Vuole il suo orzo?»

«No, mi porti un cazzo di caffè vero. Doppio.» Da

oltre il divisorio provenne il suono di qualcosa che si rompeva. «E mi porti anche qualcosa da mangiare.»

«La Bioexpress fa servizio solo da mezzogiorno.»

«Peccato. Allora facciamo così, mi porti un panino al prosciutto. Con la maionese. Tanto, di qualcosa si deve pur morire.»

«Devo farti vedere questa *importantissima* mail!» gridò Monica correndo dalla mia parte. «Vieni al computer, *per favore.*»

Sedetti alla mia scrivania, c'erano due fogli pieni di chiamate che mi aspettavano. Casa dolce casa. Lei mi piantò le unghie nella spalla, fingendo di guardare lo schermo. Spento, per altro.

«Cosa pensi di combinare?» mi soffiò nell'orecchio. «Vuoi che impazzisca anch'io?»

«Quell'*anch'io* mi sembra un po' offensivo.»

«Hai letto gli appunti su Ustoni? Guarda che la presentazione comincia tra un'ora.»

«Li leggo adesso. Giuro.»

«Te li ho stampati. Ti ho evidenziato le parti importanti. Giallo: molto importante. Rosso: importantissimo. Verde: imprescindibile.»

«Fantastico.»

«E poi ci sono questi.»

Era un mazzo di fogli alto tre dita, con un elenco di termini che andavano da: *Above the line* (*Attività pubblicitarie effettuate su radio, tv, stampa, cinema, affissioni*) a *Unbranded* (*prodotto senza marca*).

«Sono cose che dovresti sapere a menadito» aggiunse.

«Utili per la conversazione, soprattutto. Per esempio, se uno mi dice: *Hai visto quella "testata di gondola"*, io posso dirgli: *Intendi per caso lo spazio espositivo si-*

tuato all'estremità di una corsia di vendita legata a un singolo prodotto o marca, giusto?»

Le vennero gli occhioni tristi. «Sono rimasta alzata fino alle quattro di notte per farlo...»

Oh, mamma. «Grazie, ottimo lavoro. Comincio al volo. Subito dopo il panino.»

Si voltò per andarsene, tornò indietro. «So chi era la ragazza.»

Ahi. «Quale ragazza?»

«Come quale? La ragazza di colore che ti ha sputato e ti ha preso a calci nel corridoio.»

«Non mi ha preso a calci.»

«Non sottilizziamo! Insegna nella tua palestra, è una personal trainer. Me l'ha detto Riccardino che viene con te.»

Almeno adesso sapevo dov'era nata la nostra storia d'amore. Chissà se l'avevo messa incinta durante la sauna.

Arrivò il panino, arrivarono venti telefonate che girai su Monica, e lei praticamente non si staccò mai dall'apparecchio. La sentivo passare con facilità dall'inglese al francese, e una volta disse anche qualcosa in tedesco. Ma io avevo i miei compiti da fare.

Trade marketing: le attività di marketing svolte dall'impresa con e/o attraverso gli intermediari commercial...

Mollai il colpo. Scheda *Cavalier Ustoni*. Cavalier, mi raccomando. Prodotto: *Vitanova salame*, salame per diabetici. *Argh*. Linea: Newfood Ustoni. Spot: 15" e 30". Programmazione: Rai e Mediaset dal 20 dicembre. Status (*status?*) in via di approvazione.

«A che punto sei?» disse la testa di Monica.

«Buon punto.»

«Non ti credo.»

«Dottor Denti? La riunione sta per cominciare» disse Rina.

Stavo per chiedere dove, ma un ruggito mi precedette. Veniva dal corridoio. «Allora, Denti! Ti muovi?»

Il vicedirettore generale Bianchi, identico alla sua foto nel sito aziendale, era apparso a fianco di Rina facendola tremare di terrore. Mi trapanò con lo sguardo, masticando un toscano spento. «E la cravatta? E la giacca? Dove pensi di essere, in un suk?»

«Il dottor Denti ha avuto un incidente, stamattina» strisciò Rina.

«Sì, un incidente con il suo culo. Andiamo o no?»

Corsi nel corridoio. Bianchi era alla testa di un piccolo drappello di completi blu, i miei colleghi direttori. Lui invece era in gabardine chiaro. Mi infilai in coda, camminammo in formazione a V. Bianchi in testa, che si muoveva emettendo raggi di luce nera spazzando via i malcapitati. Gli impiegati si tuffavano dietro i pannelli divisori, tremavano, cadevano in estasi. Bianchi aveva una buona parola per tutti i malcapitati sul suo cammino: *Zozzone! Muovi il culo! Ma non ti ho ancora licenziato?* Poi rideva tonante. I direttori annuivano all'unisono, cercai di prendere il ritmo. Ci pigiammo nella cabina dell'ascensore. Bianchi mi puntò il sigaro. «Ho visto il lavoro per Ustoni.»

«È bello?»

«È una vera merda. Ti voglio vedere a presentarlo, adesso.»

Gelai. «Come a presentarlo?»

«Ah, io non mi prendo responsabilità per quella roba. Cazzi tuoi. Sei il direttore creativo, no?» Strizzò l'occhio al direttore marketing, un tizio alto due metri, tipo studente cresciutello. Lorenzo Girapaglia, secondo il sito aziendale. Otto lauree e campione di scacchi. «O dovrei dire eri il direttore creativo?» Rise da far tremare l'ascensore.

Le porte si aprirono, lui uscì a passo di carica. Girapaglia mi batté sulla spalla (malata). «Oggi è di buon umore, meno male.» Parlava sul serio. Bel posto.

Eravamo nel seminterrato. Una freccia indicava *Auditorium* e il drappello puntò in quella direzione. I passi di Bianchi erano onde d'urto. Un fattorino si disintegrò. Una guardia che passeggiava divenne aria che Bianchi attraversò senza rallentare.

Ero l'ultimo della fila. Frugai disperatamente tra gli appunti, avevo preso l'elenco di termini di Monica, niente sul salame. O porca troia.

Una hostess aziendale aprì una porta al nostro passaggio. Bianchi le sfiorò i capelli, lei pianse di gratitudine. Se lui faceva quell'effetto, c'era da chiedersi come fosse Roveda in vita. Probabilmente levitava e lanciava globi di fuoco.

L'auditorium era una sala circolare, con uno schermo lungo una parete che faceva rotolare il marchio della B&M e un centinaio di sedie tipo cinema. In prima fila era seduto un ciccione novantenne, con un feltro calato in testa. Una donna sulla cinquantina, scosciata che neanche Cindy Lauper, gli teneva la mano. Un'altra hostess gli stava versando un bicchiere di champagne.

«Cavalier Ustoni carissimo» esplose Bianchi, stringendogli la mano. «Signora.» Ustoni annuì senza parlare, la donna mandò un bacio all'aria, con la bocca a culo di gallina. Gli altri direttori andarono a porgere i loro omaggi, io fui l'ultimo. Ustoni mi guardò come una cacca di mosca, la befana mi porse la mano con disgusto. I direttori presero posto nella fila dietro, Bianchi salì sul palco, davanti a un piccolo leggio. Batté sul microfono. «Ci siamo?»

Il tecnico si genuflesse.

«Benissimo. Come sapete, oggi è un giorno triste. Il nostro amico Mariano Roveda non c'è più.» Si dilungò sui pregi del defunto per dieci minuti, un grand'uomo, un genio crudelmente strappato da mano nemica. Parlava come se avesse di fronte mille persone, ma forse l'incontro era trasmesso in eurovisione. Poi spiegò quanto la B&M fosse onorata del lavoro che stava svolgendo per l'azienda del Cavalier Ustoni, che durava da una vita, che era esaltante, che... Persi il filo. Pensavo a come scappare, sapendo di non poterlo fare. Bianchi si sedette applaudito come un capo di Stato, e uno alla volta gli altri direttori presero la parola, spiegando il perché e il percome della campagna salame, le «ricadute sul mercato» e «il posizionamento strategico». Ustoni sembrava addormentato sulla sedia, io tremavo. Il palco rimase vuoto.

«Denti, vuoi salire a illustrarci la creatività, gentilmente?» disse Bianchi, sorridendo. Aveva più canini del normale. Indicò il palco. Non mi mossi. Le teste si girarono a guardarmi.

«Denti?» Bianchi allargò il sorriso. «C'è qualche problema?»

Mi alzai. La sedia emise un rumore di nastro adesivo strappato. Avevo sudato talmente che mi si era attaccata. Strisciai sul palco. Inciampai salendo. Battei il gomito sul leggio. Bianchi, dalla platea, mi lanciò uno sguardo radioattivo.

«Buonasera» dissi.

«Sì, buonanotte!» Era Ustoni, riscossosi dal coma. Parlava un emiliano talmente stretto che faticavo a capire. «La vogliamo vedere questa réclame che mi sta venendo una pustola al culo?»

«Caro» disse la donna, carezzandogli la mano.

Presi la palla al balzo. «Ha ragione il cavaliere. Cosa parliamo a fare? Un bell'applauso per il cavaliere.» Cominciai a battere le mani e un po' alla volta la platea mi venne dietro. Bianchi per ultimo. «Bella mossa, pirla» sussurrò quando tornai a sedermi. «Per favore, le luci.»

Il tecnico strisciò alla consolle. Buio. Sullo schermo girò ancora per un po' il logo, poi partì lo spot. Musica di violini, Ustoni su una sedia piazzata in mezzo a un prato baciato dal sole, vestito di bianco con il panama. Ai suoi fianchi due stangone in mutande, una bionda e una mora, con un salame tra le tette.

Ustoni: «I miei maiali mangiano bene» biascicò. «E voi potete mangiare i miei maiali. Senza paura.»

Ragazze: *«Gnam, gnam!»*.

Scritta: *Vitasana, il salame per tutti. Dalla Ustoni.*

Voce dello speaker a mille all'ora: senzasaliezuccheriaggiunticonsigliatoperiregimimedicodieteticiabassocontenutodisodioleggereleavvertenzeelemodalitàd'uso.

Un attimo di pausa. Ancora il logo della B&M, di nuovo lo spot ma in versione lunga. Era uguale a quello precedente, solo che cominciava con la panoramica di una porcilaia dove i maiali avevano un fiocco rosso al collo. Ustoni. Fighe. Speaker.

Buio. Luce. Silenzio in sala. Ustoni si alzò appoggiandosi al bastone. «Va bene, bello. Adesso andiamo che mi scappa.»

Moglie: «Dovete scusarlo».

Bianchi: «Ma no? Perché? Pane al pane e vino al vino».

Ustoni scoreggiò.

Risalii ringiovanito di vent'anni. Avevo ancora un processo per omicidio, un figlio in arrivo, i soldi spariti e un proiettile nella spalla, ma ero sopravvissuto alla prova. Di nuovo pigiati in ascensore, Bianchi si era gonfiato di un paio di metri e non ci stavamo più. Occhiata generale ai direttori: «Avete visto? La volete capire o no che gli effetti speciali costano, costano e non servono a un cazzo? I nostri clienti vogliono concetti semplici e mirati». Mi tirò una manata e per un attimo la sua aureola si espanse anche attorno a me. «Bravo, lo sapevo che funzionava. Pulito e lineare.»

Gli altri si ingobbirono per l'invidia.

Al cubicolo mi aspettava la bella sorpresa dei miei indumenti avvolti nella plastica. «Arrivati caldi caldi» disse Rina. «Com'è andata la riunione?»

«Lasciamo perdere. Monica?»

«A pranzo, in mensa.»

C'era anche una mensa, chissà se servivano i maiali del cavaliere, gnam gnam. Infilai la giacca mentre mi vibrava il cellulare nella tasca dei calzoni. Il numero non era presente in rubrica perché il nome non apparve (cominciavo a capire quei cosi), ma decisi di tentare la fortuna. Trovai la voce di Mirko Bastoni. Un suo collega dello studio era disponibile per la mia difesa e poteva combinare un incontro al volo nel suo ufficio. Accettai e mi feci spiegare la strada.

«È l'avvocato Trevi» aggiunse. «Un'amica di Salima, così rimane tutto in famiglia.»

«Perché ha usato il termine famiglia?» Ero permaloso sull'argomento.

«Così, per dire. La saluto.»

Infilai il cappotto e feci ciao a Rina, che cercava di mollarmi un nuovo elenco di telefonate. Qualcosa sembrava cominciare ad andare per il verso giusto, giornata fortunata. La pensai così per circa dieci minuti, fino a quando qualcuno non cercò di staccarmi la testa.

2

Normalmente a Milano la gente pensa ai cazzi suoi, per questo mi piace. Se uno viene assalito da un coccodrillo mentre passeggia in piazza del Duomo non se ne accorge nessuno, perché tengono la testa bassa, ingrugniti sul mutuo da pagare, le tasse, la moglie o il marito che rompe l'anima. Con un'unica eccezione: le vecchie. Ovunque tu abiti, c'è sempre una vecchia che ti controlla dallo spioncino quando rientri sbronzo, che bussa sul muro se non trombi in silenzio, che manda lettere all'amministratore del condominio perché frequenti "gente strana". Le persiane le hanno inventate per loro, così che quegli occhietti maligni possano spiare quello che fai, scivolando da una finestra all'altra sulle pattine. Hanno il numero del pronto intervento scritto grande così sul muro sopra il telefono, la sirena portatile antistupro, il binocolo a raggi infrarossi.

La mia vicina di casa, della casa scomparsa, era una maestra in pensione che rimpiangeva di non aver più scolari da prendere a bacchettate. Una notte l'avevo trovata a frugarmi nella spazzatura con la torcia elettrica, per controllare se mi facevo le pere. In seguito aveva cominciato a portarsela in casa per esaminarla meglio, fino al giorno in cui erano arrivati quelli del comune a portare via lei. C'era voluto un camion per svuotare l'appartamento, con i topi che correvano su e giù per le scale e i condomini che svenivano per l'orrore. Il portinaio si era limitato a dire: «Mi pareva che ci fosse un vago odore…».

Non avrei mai pensato di doverne ringraziare una così. La vecchia in questione stava accanto al semaforo pedonale a pochi metri dalla B&M insultando i lavavetri marocchini. Una Mamma Oca, con borsa della spesa a rotelle e capelli tinti di violetto. Non la notai mentre uscivo dal portone, stavo rimuginando su quello che avrei raccontato all'avvocato. Su quello che *non* gli avrei raccontato. Camminai lungo il marciapiede sino alle strisce, aspettai come un bravo cittadino che il semaforo pedonale diventasse verde, poi misi giù un piede. Fu lì che la vecchia gridò: «Attento!» e mi tirò per la manica del cappotto.

Primo istinto, rapidissimo, farla volare sotto una macchina. Secondo istinto, quello giusto, buttare un occhio alle mie spalle, seguendo il suo sguardo spiritato. Una moto stava correndo sul marciapiede, zigzagando tra i pedoni e mirando alla mia schiena. Feci un salto di lato, urtai con il tacco della scarpa il cordolo del marciapiede e caddi contro il palo del semaforo. Un male della madonna, e già non stavo benissimo. La moto mi sfiorò, sentii un *clang* proprio sopra la mia testa, e sgasò infilandosi nel traffico tra i vaffanculo e i clacson di chi era costretto a inchiodare. Qualcosa di metallico mi cadde sulla spalla e rotolò tintinnando.

«Ha visto?» strillò la vecchia. «Voleva proprio venirle addosso!»

171

Cercai di ricostruire la figura del pilota, mentre mi massaggiavo la spalla (sembrava destino che battessi sempre quella più sensibile). Indossava una tuta e il casco integrale e avrebbe potuto essere chiunque, giovane o vecchio, uomo o donna. Il difetto delle tute di pelle è che ti fasciano talmente che è difficile capire la corporatura, soprattutto se sono nere e attillate come quella del tipo che quasi mi aveva investito. Ma aveva cercato di farlo di proposito? Non potevo escludere si fosse trattato di un idiota ansioso di tornare al lavoro. Mentre mi rialzavo, vidi un luccichio sul marciapiede, e ricordai la sensazione dell'oggetto che rotolava su me durante la quasi-collisione. Lo raccolsi, e cancellai l'ipotesi del cafone: era un pezzo di lama, di quelle che di solito maneggiano i macellai quando spaccano le ossa ai quarti di bue. Sul palo si notava un'incisione fresca giusto all'altezza del mio collo. C'era mancato poco.

La vecchia urlò ancora. «Deve chiamare la polizia!»

Infilai il pezzo di lama in tasca. «E perché?»

«Ma l'uomo con la moto...»

«Quale uomo con la moto?»

«Quello... quello...»

«Signora, si è ricordata di prendere le sue medicine oggi? No, eh?»

Scappai via e gettai la lama in un cestino dei rifiuti lì vicino. Mi infilai nella metropolitana. Era la prima volta che lo facevo da quando mi ero risvegliato, e fui contento di scoprire che era cambiata poco, a parte le indicazioni per una linea chiamata *Passante ferroviario* segnata in blu, e un paio di nuove stazioni che mi sembrava non aggiungessero granché alla mobilità milanese. Milano ha una miseria di linee sottoterra, e per lo più disposte nella stessa area. Una buona fetta della periferia, e delle zone meno lussuose dal punto di vista dei negozi, rimanevano tagliate fuori dallo scorrimento veloce.

L'incidente mi aveva lasciato in uno stato di ansia notevole. L'adrenalina era scesa e faticavo a stare in piedi. Comprai il biglietto a una macchinetta automatica, e mi rimirai sulla sua superficie metallica. Ero bianco come il cadavere che avevo rischiato di essere e, cosa ancora più grave, mi ero dimenticato di indossare il mio travestimento di emergenza, la berretta con il cuore e gli occhiali scuri comprati in piazza del Duomo. Forse, se li avessi avuti addosso il motociclista non mi avrebbe riconosciuto. Ma più probabilmente sì. Sapeva evidentemente dove lavoravo, e se era stato lui a mettermi la bomba in casa, sapeva anche dove abitavo. Non si sarebbe lasciato ingannare da così poco, forse avrei dovuto procurarmi un passamontagna.

Aspettai il treno ben distante dalla riga gialla, nel timore che qualcuno provasse a spingermi di sotto, e continuai a guardarmi le spalle con la paura di veder spuntare un altro coltello. Quando sei spaventato sembra che tutti ti stiano a guardare con intenzioni malvagie, e quando uno sbarbato mi sfiorò con lo zainetto ci mancò un niente che gli saltassi alla gola. Ma era solo uno stupido ragazzino, intento a guardare non so quale meraviglia sullo schermo del suo telefonino. Mi schiacciai sul vagone strapieno, dove, pareva impossibile, faceva un caldo bestiale anche se fuori la temperatura era di pochi gradi sopra lo zero. Mi ritrovai aggrappato a un sostegno, vicino a un barbone senza scarpe che gli altri viaggiatori scansavano, con una pubblicità di cartoncino che mi penzolava sul naso: una tipa che spompinava una bottiglia d'acqua minerale sopra la grande scritta *Voglia di purezza*. Mi sembrò di averla già vista da qualche parte, poi ricordai. L'avevo fatta io.

Cambiai linea e tornai a rivedere la luce in Porta Venezia, una piazza che era rimasta il solito grumo di traffico, binari del tram e alberghi, e raggiunsi l'ufficio di Bastoni con cinque minuti di camminata veloce che bastarono a farmi venire il fiatone. Ancora una volta mi ripetei che era il caso di mettersi a dieta, o ricominciare a frequentare la palestra, non solo per fare il filo alle personal trainer (*impara il termine*), qualsiasi cosa fossero. Al suono del campanello mi aprì una tipa con i tatuaggi sul dorso delle mani e la bandana al collo. Per quanto non fossi pratico dell'ambiente, mi sembrò abbastanza fuori posto in un ufficio legale. La tipa controllò il mio appuntamento su un foglio alla scrivania dell'ingresso. «Valentina la sta aspettando» disse. «L'ultimo ufficio in fondo a destra. Può lasciare il cappotto sull'attaccapanni.»

Lo feci, scoprendo di averlo di nuovo impataccato e anche strappato sulla schiena. Non mi duravano troppo, i vestiti puliti. Il corridoio era stretto perché due librerie polverose correvano su entrambi i lati, interrompendosi solo per lasciare spazio alle porte di legno scuro, senza targhe o etichette a identificarne gli occupanti. Fui costretto a cedere la strada a un tizio alto un metro al massimo, che camminava appoggiandosi a una stampella. La tipa all'ingresso lo salutò con un «Arrivederci, avvocato». Bussai alla porta che mi era stata indicata, sicuro di trovarmi di fronte un altro esemplare bizzarro. Invece l'avvocato Valentina Trevi era una rossa formosa sui trentacinque, piena di lentiggini sulla faccia abbronzata. Nel suo ufficietto ci stava giusto la scrivania, altre librerie con i raccoglitori e una gigantografia di un'isola tropicale sull'unico pezzo di parete libera. La finestra dietro le sue spalle sembrava murata, tanto era poca la luce che lasciava passare.

Quando mi vide sorrise contenta. «Ciao! Ma guarda chi c'è!»

Rimasi un attimo interdetto. Tutti così espansivi gli avvocati? «Ciao.»

«Perché non mi hai chiamato direttamente, invece di passare da Mirko?» chiese. «Cos'è, una tattica? Avevi paura che ti dicessi di no?»

«Una tattica?»

Si alzò per abbracciarmi e darmi un bacio per guancia. «Ti hanno picchiato?» Sentii profumo di sandalo e partii per la tangente.

Sono in una stanza d'albergo e dalla finestra vedo il profilo delle Alpi. Vale è distesa sul letto, nuda, e io, a cavalcioni su di lei, le massaggio la schiena. Il suo corpo è caldo e penso che adesso ordinerò qualcosa al ristorante da farci portare in camera. Ho voglia di bere qualcosa di fresco e di...

Tornai al presente. Sbattei gli occhi. «Io e te ci conosciamo, mi sa» dissi all'avvocatessa.

Eccome.

«Ho bisogno di un caffè» disse Valentina dopo un po'. «Non credo che qui abbiamo l'orzo.»

«Va bene quello normale.»

«Sei diverso anche in questo.» Valentina non sorrideva più, dopo aver sentito la mia storia. Valentina, Vale, mi aveva creduto subito. La mia espressione di poco prima era stata convincente.

Mi portò in una stanza di fronte alla sua, ancora più piccola, dove un tizio enorme con la barba rossa e una criniera arruffata lavorava su un computer, con la faccia di chi è costretto a toccare la merda a mani nude. Quando entrammo alzò a malapena gli occhi. «Ogni tanto dovreste aggiornarli i programmi» disse. «Usate ancora Winzozz 98, è una pera.»

«I programmi nuovi costano» disse Valentina, chiaramente con la testa altrove. «Marco, Santo.»

«Piacere» borbottò il gigante. «Su questo computer ci sono dei virus che pensavo fossero estinti dal Cretaceo. Forse dovrei copiarmeli per ricordo. Se ti mettessi un *firewall*?»

«Qualsiasi cosa sia, poi lo sapresti usare solo tu, quindi no.»

«Non c'è bisogno di saperlo usare...»

«Ho detto di no.»

Valentina infilò un bicchierino di plastica sotto il beccuccio di una macchinetta elettrica. Pigiò il bottone senza che succedesse niente. Trafficò con la macchinetta e ne alzò il coperchio. «Ma nessuno si ricorda mai di mettere l'acqua?»

«C'è una bottiglia per terra» disse il gigante. E a me: «Sei un nuovo cliente di Vale?».

«Non ficcare il naso, Elef» disse lei, severa. «Anche la spina staccata... uff.» Rumore di ebollizione, profumo di caffè in arrivo. Poi la luce della macchinetta si spense insieme al computer e alla lampadina nuda che penzolava dal soffitto.

«Cazzo» disse il gigante.

«La corrente!» gridò una voce femminile dal corridoio.

«Ecco perché era staccata» disse l'avvocatessa. «Va be', Santo, rinunciamo. Non ho voglia di andare al bar.»

Annuii.

Dal corridoio la voce di prima urlò ancora: «Ho perso il lavoro di due ore! Elefante, ti ammazzo!».

Il gigante: «Non sono stato io!».

Tornammo a sederci nell'ufficio mentre la tipa tatuata attraversava il corridoio a passo di carica. Dalla stanza a fianco provennero rumori di lotta e urla.

«Ho detto che non sono stato io! Ahia. E puoi anche salvare, ogni tanto!»

«Riaccendi! Riaccendi subito!»

«Che palle quei due» mormorò Vale. «Certo che non me lo sarei mai aspettato da te. Ti giudicavo un simpatico rampante un po' bigotto, e sì che con il me-

177

stiere che faccio di solito non mi lascio prendere per il sedere.» Fece una smorfia. «Prima che tu me lo chieda, e per chiudere l'argomento, siamo stati insieme solo per un simpatico weekend in montagna. La storia tra te e Salima non si era ancora fatta seria. Seria come può esserla per qualcuno che ha già una fidanzata ufficiale, intendo. Con questo chiudiamo l'argomento, e vorrei non ritornarci più sopra. Siamo d'accordo?»

«Certo. Spero di ricordarmelo quel weekend, prima o poi.»

«Peggio per te se non ci riesci.»

«Come ci muoviamo?»

«Ti aiuterò a scrivere un memoriale che tenga conto di tutto, compresa la tua amnesia, il detective che hai assunto e il tuo attentatore. Poi racconti tutto al magistrato.»

«E questo mi farà stare fuori di galera?»

«Se credi ancora alle favole. Però agevolerà le indagini.»

«Proprio il mio primo pensiero. Seconda opzione?»

«Ti fai interrogare e tieni il becco chiuso su tutto.» Sospirò, non le piaceva per niente. «Il PM ha qualcosa contro di te. Non so cosa, però. Litigare in ufficio con qualcuno non è un motivo sufficiente per un sospetto serio. E non eri l'unico, a quanto mi hai detto.»

«Roveda stava sul cazzo a tutti.»

«Appunto. Domani speriamo di scoprire che hanno già preso il vero colpevole.»

«Sarebbe la prima botta di culo della settimana.»

«No, bello, la tua botta di culo è stata che sei venuto da me. E che non ti ho rispedito al mittente come meritavi. Adesso mi firmi la lettera di nomina e la delega per controllare il tuo certificato penale e i carichi pendenti.»

«Ero incensurato.»

«Non ti avevano mai arrestato? Con quel po' po' di roba che hai combinato?»

«Ci stavo attento e volavo basso.»

«Non puoi sapere se non sia successo dopo.»

«Giusto.»

«Poi voglio sapere dov'eri sabato. Chiedi ai tuoi amici, al tuo Rotary dei cattolici, o a chi ti pare, ma cerca di scoprirlo. Te lo chiederanno, domani.»

«Posso rifiutarmi di rispondere?»

«No. Collaborare con le indagini è dovuto. E i "non ricordo" sono sempre molto sospetti. Tutto chiaro fin qui?»

«Nei limiti...»

«Poi c'è un ultimo problema, casa tua. Ci devi tornare, così magari ti fai anche una bella doccia.»

«E salto per aria.»

«Potresti anche stare in giro tutta la vita, e lasciare che a preoccuparsene siano i prossimi inquilini. Ma se le cose si mettono male rischi una perquisizione. E ci sono due cose che non vogliamo: che un poliziotto esploda mentre rovista tra la tua roba, o trovi qualcosa che sarebbe meglio non trovasse.»

«Tipo i tabulati.»

«Tipo. Se c'è qualcosa di sospetto in casa, voglio essere io a saperlo per prima.» Era sempre più irritata, e potevo capirla. «Se il tuo misterioso nemico ha cercato di ucciderti a coltellate, posto che sia sempre lo stesso, probabilmente in casa non c'è più niente di cui tu debba temere.»

«*Probabilmente* non mi basta.»

«Non basterebbe neanche a me, ma io chiamerei gli artificieri.»

«E io non posso.»

«Vediamo se l'Elefante può darti qualche suggerimento.» Bussò sul muro. «Elef! Vieni un attimo, per favore.»

«Lui?»

«È il suo campo. Bonifiche ambientali e sorveglianza elettronica. Era uno dei migliori, a Milano.»

«Non l'avrei mai detto. Perché ha smesso?»

«Gli hanno sparato nella pancia. Ah, Elef, siediti.»

Il gigante liberò una poltroncina da una pila di documenti semplicemente spingendoli per terra. Mano delicata, ce lo vedevo a fare lavori di precisione. Si sedette, la poltroncina scricchiolò.

«Elef» chiese Vale «se sapessi di avere una bomba nascosta in casa da qualche parte, cosa faresti?»

«Chiamerei gli artificieri.»

«E se non potessi?»

«Cambierei casa.»

«Dài, Elef.»

Perse l'espressione cazzona. «Mi procurerei uno *sniffer*. E un metal detector per pareti e pavimenti.»

«Cos'è uno *sniffer*?» chiesi.

«Gli esplosivi lasciano due tipi di tracce rilevabili: vapori o particolato. Lui li nasa, da cui il nome *sniffer*, come *sniff sniff*.»

«Chiaro.»

«Di solito in aeroporto usano quelli grossi, ma ne hanno anche di piccolini, per le emergenze.»

«Come me li procuro 'sti due cosi? Non credo che li vendano alla Fiera di Senigallia.»

«Su Internet te li tirano dietro.»

«E può usarli un dilettante?» chiese Valentina.

«Per perquisire qualcuno magari sì, ma per bonificare un appartamento...»

«Correrò il rischio.»

«C'è un'altra possibilità» disse il gigante. «Non è gente che mi stia simpatica, ma ci sono dei professionisti che sanno come maneggiare le bombe. E possono risolverti il problema. Gente che ogni tanto vola all'estero per fare lo stesso lavoro, non so se ci siamo capiti.»

«*Contractors*» disse l'avvocatessa e tradusse a mio beneficio. «Mercenari.»

«E sono persone discrete?» chiesi.

«Molto discreti, perché quello che fanno è sempre al limite del legale sul territorio italiano. All'estero dipende. E sono cari. Più sono discreti, più sono cari.» Mi tirò una botta amichevole sulla spalla e mi fece un male cane. «Però, tanto paghi tu.»

Il gigante avrebbe organizzato l'incontro con i *contractors* con la massima urgenza. Se possibile, per il giorno dopo. Tornai alla luce alle due del pomeriggio, con una fame da lupo, e accantonai i propositi di dieta in un bar lì vicino, prendendo il tipico piatto milanese da esportazione: il panino alla piastra. Mangiai mentre scoprivo che la segreteria telefonica conteneva sei nuovi messaggi. Erano nell'ordine: *Rina, Bianchi la cerca. Rina, Bianchi la cerca!* Un tizio che blaterava in inglese, di cui capii solo il mio nome. *Bianchi, Dove cazzo sei, porta qui il culo. Monica, Chiamami.* Di nuovo il tizio in inglese, piuttosto alterato, che mi tirava una serie di *fuck*. Alla fine la segreteria mi comunicò di essere piena e che avrei dovuto cancellare i messaggi vecchi per far posto a quelli nuovi. Fossi scemo. Mi chiesi come facesse il pubblicitario a stare dietro agli scocciatori, ormai dotati di mezzi per raggiungerti che una volta potevano solo sognarsi. Mancava giusto la telepatia, o c'era?

Al secondo, triste panino, avevo recuperato abbastanza forze per passare alla questione ricovero in manicomio. L'avevo accantonata: si può dire di una cosa che hai paura ti ricapiti da un momento all'altro. Ma andare a saperne di più? No, grazie, non ero ancora pronto. Questo, però, accadeva prima di scoprire che gli sbirri avrebbero indagato sul mio passato. Se mi avevano beccato mentre cercavo di pugnalare nell'occhio qualcuno, era meglio se me lo facevo dire dai medici che mi avevano curato, sapendo dove trovarli. Giulio mi aveva suggerito di chiedere a mio padre, e al solo pensiero mi si torceva lo stomaco: in questa nuova vita, speravo quantomeno di non averlo tra i piedi. Non avevo il suo numero in rubrica, forse perché il pubblicitario lo conosceva a memoria, e chiamai quello di casa che ricordavo. Magari non era cambiato... *il numero chiamato non è attivo*. 'Sti cazzi.

Il barista possedeva una guida telefonica. Cercai, ma c'erano una sessantina di Denti, tra cui io, e nessun Piero, cioè mio padre. Era sempre stato il suo sogno svernare in qualche posto al mare, ma avevo dato per scontato che fosse una di quelle cose che il vecchio raccontava per darsi importanza. Come quando diceva che avrebbe rimesso a nuovo il Guzzi Galletto rimasto ad ammuffire in cantina, e con quello avrebbe partecipato a una gara per moto d'epoca. O quando voleva che partissimo per il giro d'Europa con la roulotte. Aveva raccolto una pila di dépliant e pubblicità, cambiando idea ogni volta, «si possono anche noleggiare, forse converrebbe invece di comprarla» o «anche usata, perché no». Avevo dieci anni e gli credevo, perché a quell'età lì tuo padre è un incrocio tra Superman e il genio di Aladino. Mano a mano che la stagione si faceva calda, però, aveva cominciato a parlarne sempre meno e sembrava imbarazzato quando glielo chiedevo. A luglio aveva detto: «Forse l'anno prossimo...» ed era sceso al bar con la sua compagnia di inutili teste di cazzo. Chissà, forse stavolta ne aveva combinata una giusta.

Ebbi un colpo di genio grazie al giornale del bar, unto e stropicciato come la mia camicia. Cercavo qualcosa su Roveda e lo trovai in terza pagina. Foto di una villazza in località di mare e un articolo il cui succo era che la polizia stava indagando. L'assassino non aveva lasciato tracce, ma una serie di indizi sembravano suggerire che forse occorreva indagare *nell'ambiente gay*. Ah, Roveda era dell'altra sponda. Ebbi un brivido: non è che magari anche il pubblicitario...? Si sarebbe spiegato perché lo facevo sorvegliare: gelosia! Forse mi conveniva frugare in casa per vedere se trovavo foto di uomini nudi. Mi ci vedevo a raccontarlo a Monica. *C'è un'altra cosa che non ti avevo detto, un piccolo particolare...*

Andai avanti a sfogliare per distrarmi. Maradona era *tornato magro!* Come tornato magro? Nella foto a colori, i quotidiani adesso erano tutti a colori, era il doppio di quanto mi ricordavo. Scorsi la sua storia, cocaina, guai giudiziari, redenzione: un po' ci somigliavamo. Altre notizie: una barzelletta del Cavaliere (vecchia), sondaggi sulle prossime elezioni (avevano già vinto tutti). La storia di un tizio trovato su una spiaggia in Cornovaglia, che aveva dimenticato come si faceva a parlare, ma in compenso suonava il flauto con il naso talmente bene da far piangere chi lo ascoltava. Uhmm... A me era successo qualcosa del genere, a quanto mi aveva detto Ines (flauto a parte), e c'era una qualche possibilità che fossi finito anch'io sui giornali, magari nella cronaca locale.

Dove stanno i giornali vecchi? In biblioteca. L'unica che conoscevo era la Sormani, dove ero andato per fare una ricerca di scienze il quarto anno delle superiori, e ancora ricordavo l'esperienza come una delle più pallose della mia vita. Adesso, perlomeno, ci sarebbe stato il brivido dell'imprevisto. La raggiunsi in tram. L'edificio era ancora come l'avevo lasciato il secolo precedente, in pietra grigio noia, con il groviglio di biciclette legate all'esterno dove l'altra volta avevo piazzato anche il mio Ciao e l'avevo ritrovato senza la candela. L'addetto alle informazioni m'indicò come trovare la sala periodici, uno stanzone con i soffitti a volta e una serie di televisorini fissati ai tavoli, quasi tutti occupati da gente che aveva l'aria di essere lì ad ammazzare il tempo. A disposizione del pubblico c'erano solo le ultime annate dei quotidiani e scoprii che per quelle più vecchie occorreva fare richiesta.

Compilai la domandina per il "Corriere della Sera", e l'impiegato mi consegnò, invece di una pila di carta, un rotolino di pellicola in un cilindretto di metallo. Provai a guardarlo in controluce. Le pagine c'erano, ma per leggerle mi ci sarebbe voluto un microscopio. Dopo venti minuti che ero in piedi a srotolare, l'impiegato si mosse a pietà e mi fece vedere come inserirlo in uno dei visori. Ah, si faceva così?

Agosto 1991, che nostalgia. Mi faceva impressione

pensare che era già così lontano da essere diventato il microfilm di James Bond. Mi concentrai sulla pagina milanese, ma non trovai niente di riconducibile alla mia questione. Cambiai il rotolino per altre tre volte, spulciando "Repubblica" "il Manifesto" e "Il Giorno". La quarta fu quella buona. "La Notte", avrei dovuto cominciare da lì, il mio fido giornale del pomeriggio. Aveva cessato le pubblicazioni dal 1998, avvisava un adesivo sulla scatoletta, ecco perché era sparita l'insegna in piazza Cavour.

Il trafiletto era datato 12 agosto. "Lo smemorato della cascina di Vaiano Valle. I carabinieri del nucleo operativo di Milano hanno rinvenuto in una cascina abbandonata della zona di Vaiano Valle un uomo dell'apparente età di trent'anni, in precarie condizioni fisiche. L'uomo, privo di documenti, sembra incapace di ricordare il proprio nome o dare informazioni utili alla propria identificazione." C'era anche la fotografia della cascina, una casupola sgarrupata con un lavatoio in pietra, in mezzo a campi incolti. Niente foto, invece, dello smemorato.

Ero io? Che c'ero andato a fare in campagna? E il portafoglio, chi me l'aveva fregato? Sei giorni dopo quello in cui ero andato a fare casino da Ines, un tempo lunghetto per starsene in giro a delirare. Forse mi ero messo a raccogliere i funghi. Guardai nei giorni successivi, e mi ritrovai, stavolta senza alcun dubbio, il 18 agosto. "È stato identificato il cosiddetto 'smemorato di Vaiano Valle', ritrovato in precarie condizioni di salute dai carabinieri il 12 c.m. Si tratta di S.D., abitante a Milano in via dei Transiti 6. Attualmente considerato fuori pericolo di vita, l'uomo continua a versare in uno stato di grave confusione mentale e al momento è ricoverato presso l'ala psichiatrica dell'ospedale Luigi Sacco nelle capaci mani del primario, professor Zurloni."

Zurloni? Perché mi ricordavo quel nome? Mentre riflettevo con il naso appoggiato al televisorino, l'impiegato venne poco gentilmente a dirmi di lasciare il posto a qualcun altro, se volevo stare solo lì a scaldare la sedia.

«Mi serve una fotocopia.» Indicai il primo articolo. «Si può avere?»

«Trenta centesimi a pagina.»

«Ma sì, crepi l'avarizia.»

«Compili il modulo. Ci vorrà mezz'oretta.»

Compilai il modulo.

«C'è il modo di vedere Internet da qui?»

«Compili il modulo e mi dia un documento.»

Compilai il modulo. Il bibliotecario lo esaminò, corresse a penna un paio di minuscole imprecisioni e mi indicò la parete opposta, dove una fila di computer era intasata da gente che ci pisolava sopra. Riuscii ad accaparrarmene uno dopo una ventina di minuti d'attesa, quando una vecchietta smise di copiare la ricetta della torta di mele. Non era un Mac, e mi ci persi un po' fino a quando non pestai sul simbolo giusto e si aprì la finestra del *browser*.

Girai sul sito delle Pecorelle, ormai sapevo come trovare la roba nel calderone elettronico. Un paio di pagine che regalavano valori a piene mani. Famiglia, fratellanza, amore per il prossimo, gastronomia (*gastronomia*?), corse di cavalli, boutique, giovani con i fiori nei capelli, fratacchioni e preti a volontà. Chi voleva sottoscrivere poteva farlo con carta di credito, bollettino postale, assegno, pepite d'oro. E Zurloni, eccolo lì. Mi ricordavo bene, era il fondatore e aveva diritto a una pagina tutta sua. Sembrava avere mille anni per gamba, magro come un chiodo, capelli candidi e occhiali scuri. Nella foto abbracciava un paio di negretti, che sorridevano mostrando i buchi tra i denti. Scritta: *Hanno trovato casa grazie al Movimento delle Pecorelle.* Biografia... Uhmm, laurea in medicina, specializzazione in psichiatria. All'ospedale Sacco sino al 1998. Ok, preso. Non avrei potuto scampare la serata di gala di quella sera. Ritirai la mia fotocopia e uscii a fumarmi una sigaretta.

La temperatura era ulteriormente scesa, e mi venne una gran voglia di infilarmi sotto le coperte, avessi potuto. Non potevo. Chiamai Monica e la bloccai prima che mi seppellisse di informazioni non richieste sull'ufficio e i cagacazzi che mi stavano cercando per mare e per terra. Scoprii che l'inglese della segreteria era il mio equivalente di un'agenzia di Londra, arrivato a Milano per un appuntamento con il sottoscritto fissato da un mese.

«Su che?»

«Campagna europea Tampax.»

«I cosi che vi infilate voi donne?»

«Vedrai dove te li infila Bianchi appena metti piede in azienda.»

«A che ora ci vediamo stasera?»

«Allora vieni? Mi sembrava non avessi tanta voglia.»

«Ti sembrava bene.»

«Passa a casa mia alle sette.»

«E dove abiti?»

«Ah, già, mi dimentico sempre...»

«Già.»

Me lo spiegò. Avevo ancora tre ore buone prima

dell'appuntamento e decisi di metterle a frutto cominciando, in primo luogo, a procurarmi un mezzo di locomozione. Ero stufo di perdere le ore con i mezzi pubblici in attesa di scoprire se qualcuno mi aveva messo la dinamite sulla macchina. L'insegna di un autonoleggio risolse la questione. Una strisciata di carta di credito e uscii a bordo di un giocattolo chiamato Lancia Y rosso fuoco. C'erano anche i ribaltabili e in caso di emergenza avrei potuto dormirci dentro. Non era da escludere. Accesi l'autoradio sintonizzandola su una stazione che trasmetteva canzoni abbastanza vecchie perché le conoscessi, poi mi misi a caccia della cascina dello smemorato. Magari mi sarebbe tornato in mente qualcosa. Il trucchetto funzionò, eccome. Avrei avuto gli incubi per il resto della mia vita.

4

Nello specchietto retrovisore balenò un vecchio lavatoio e inchiodai. Ci ero passato davanti senza accorgermene. Eccola lì, la cascina, identica alla foto sul giornale. Mi era sfuggita perché era completamente nascosta da un'impalcatura e da una rete che circondava il cortile. Feci marcia indietro schizzando sassi e fango, e parcheggiai. Un muratore arabo sui vent'anni, muscoli e capelli da rasta, spalava malta da una piccola betoniera, un cartello diceva FINE LAVORI: DICEMBRE 2007. Il muratore si appoggiò alla pala quando bussai sul cancelletto. «Buongiorno» disse.

«Posso entrare a fare un giro?»

«Sei dell'ispettorato del lavoro?» Parlava bene per essere uno straniero, l'accento quasi non si sentiva.

«No. Solo un curioso.»

«Allora non puoi. È proprietà privata.»

«Ci sono i padroni?»

«No.»

«E allora che ti frega?»

«Mi frega che se ti fai male io passo dei guai.»

«Ci sono i serpenti a sonagli? Dài, solo dieci minuti. Era... la casa di mia zia.»

«Ma davvero?»

«Cinquanta sacchi?»

«Se ne può parlare. Ma stai attento a dove metti i piedi.»

Gli diedi i soldi. «Camminerò sulle uova.»

Entrai mentre il muratore riprendeva a spalare, credo più contento di prima. Feci un giro attorno alla casetta: strade sterrate, campi incolti e rifiuti sparsi, tra cui un vasetto vuoto di yogurt Dericoni (*Il futuro è prugna*). Il mio nuovo lavoro mi tormentava ovunque posassi gli occhi. Non ebbi nessun fremito di riconoscimento, nessun ricordo che veniva all'improvviso dal nulla. Se davvero mi avevano trovato lì, era uno di quei ricordi che non venivano fuori. Forse ci voleva una scopata di mezzo perché il meccanismo si attivasse, com'era successo con Vale e Salima. Con Monica no, lei non aveva avuto questo privilegio.

Mi fermai davanti alla porta di legno, riparata con un pezzo di compensato perché era marcia e sfondata in più punti. Girai la maniglia ed entrai. La cascina era un unico stanzone, con le travi mangiate dai tarli e le pareti annerite dai fuochi accesi da chi l'aveva utilizzata per farsi una pera o una pomiciata. Non c'erano mobili, solo cataste di legna e mattoni. Mi sembrava di vedere il posto per la prima volta in vita mia. Magari quelli del giornale avevano messo una foto a capocchia. Salii al piano superiore con una scala di legno che temevo crollasse sotto il mio peso. Trovai due piccole stanze spoglie, con le finestre sui campi da cui si riusciva a intravedere, a distanza, il campanile di una chiesa contro il cielo al tramonto. L'unico suono percepibile era quello della betoniera che macinava. Sarebbe diventato un bel posto, una volta messo in ordine, la villetta di una famigliola felice. Se avessi rintracciato i soldi del pubblicitario, avrei potuto comprarmene anch'io una così, e respirare un'aria che non sapesse di tubo di scappamento.

Tornai al piano inferiore, deciso a non lasciare niente d'intentato. Mi appoggiai contro una parete, guardai il soffitto pieno di ragnatele, spiai nelle fessure dei muri. Niente. Mentre stavo già decidendo di aver perso il mio tempo, urtai con un piede qualcosa nascosto da un telone di plastica. Quando lo spostai, mangiando una palata di polvere, scoprii il coperchio di una botola, con un anello di ferro che spuntava al centro. Fu lì che ebbi la prima sensazione sgradevole, ma sparì quando cercai di focalizzarla.

«Tutto bene?» Il muratore aveva messo dentro la testa facendomi cagare sotto.

«Sì, grazie. A cosa serve la botola?»

«Ma non era la casa di tua zia?»

«Ci venivo da piccolo.»

«È la cantina. Non ci andare che non c'è luce.»

«Va bene.»

Aspettai che uscisse, poi mi inginocchiai a guardare il coperchio da vicino. Si apriva girando su un cardine fissato al pavimento, ed era chiuso con un chiavistello arrugginito. Lo feci scorrere e sollevai il coperchio, provocando la fuga di un migliaio di piccoli esseri schifosi, che strisciarono e zampettarono via. Illuminai il buco con l'accendino. Il pavimento della cantina distava un paio di metri, e per raggiungerlo c'era una stretta scala di legno fissata al bordo della botola. Una zaffata puzzolente di umido e marcio mi entrò nelle narici facendomi torcere lo stomaco. Mi sentivo strano. Era come se ci fosse qualcosa, lì sotto, che mi faceva paura. Controllai che il muratore non fosse ancora nei paraggi, mi aggrappai alla scaletta e scesi. Una volta che i miei occhi si furono abituati alla luce fioca che proveniva dalla botola aperta, vidi che l'ambiente si estendeva sotto il cortile della cascina per parecchi metri, con colonne di mattoni a sostenere il soffitto. Uno scaffale di legno gonfio di umidità occupava interamente una delle pareti, con ancora i segni delle bottiglie sui ripiani, le altre erano vuote e coperte di ragnatele e muffa. Mentre mi aggiravo lì sotto, cercando non so bene cosa, udii un tonfo e la cantina piombò nel buio. Il coperchio!

L'avevo appoggiato contro la parete, ma per qualche motivo si era richiuso. Forse era stato il muratore, non sapendo che ero lì. Ritrovai a tastoni la scala e la risalii fino a picchiare con la testa contro il coperchio. Spinsi, non si mosse. Si era incastrato o il muratore aveva messo il chiavistello. Picchiai contro il legno.

«Ehi! Sono qui!» gridai. «Sono qui sotto, testa di cazzo. Aprimi!»

Continuai a picchiare e a gridare, ma il muratore sembrava diventato sordo e il coperchio della botola non si spostava di un millimetro. Mi fermai a prendere fiato, e fu in quel momento che sentii un suono soffocato vicino a me. I peli delle braccia mi si rizzarono. La sensazione sgradevole era tornata, e questa volta era così intensa da farmi girare la testa.

«Chi c'è?» chiesi.

Il suono si interruppe per un istante. Poi ricominciò più forte. Cercai freneticamente l'accendino in tasca, ma le mani mi tremavano così tanto che mi cadde. Lo sentii rimbalzare nel buio. Scesi la scala e mi misi a tastare il pavimento freneticamente. Il suono si era trasformato in pianto e, tra i singhiozzi, udivo una sillaba strascicata: *aaaaaaas, aaaaaaas*.

Le mie dita incontrarono qualcosa di duro. Era l'accendino e al decimo tentativo riuscii a farlo funzionare. Illuminai in giro con la fiamma. C'era qualcosa che si muoveva contro la parete più distante da me. Una forma allungata sul pavimento, che strisciava nella mia direzione.

Non riuscii più a muovermi. Era come se il mio corpo fosse diventato pesante una tonnellata. Faticavo anche a respirare. Rimasi in piedi, fermo, con una mano sulla scala e l'altra a reggere l'accendino rovente.

«Aaaaaaaaaas» sussurrò ancora l'ombra scura continuando a strisciare. «Aaaaaassssss.» Era un suono orribile, il gemito di un moribondo.

«Chi sei?» dissi a fatica. La gola mi si era chiusa. «Chi sei? Cosa ti è successo?»

«AAAAAAAAAAAAAAAAAAAASSSSSSSSSSS.»

L'ombra continuò a strisciare, fino a quando una mano entrò nel cerchio di luce della fiamma. Era coperta di una sostanza scura che ne aveva incollato le dita. Le unghie erano spezzate, le punte delle dita sanguinavano. La mano artigliò il terreno, e il corpo si trascinò ancora verso di me. Finalmente riuscii a vedere il viso. Era coperto di sangue, stravolto dalla sofferenza, ma lo riconobbi.

Era il mio.

5

«Come va lì sotto?»

Il mondo tornò di colpo luminoso. Battei le palpebre. La cantina era vuota.

Aaaaaassssss.

Alzai lo sguardo. Il muratore mi stava guardando da sopra la botola. Non era mai stata chiusa, capivo ora. Era avvenuto tutto dentro la mia testa. Un incubo, un'allucinazione. Mi resi conto che avevo ancora in mano l'accendino spento e di essermi quasi ustionato le dita. Lo lasciai cadere.

Aaaaaasssssssssss.

«Dài, vieni su. Ti avevo detto di non andarci.»

Risalii a fatica, ma l'aria esterna mi fece sentire meglio. Un po'.

«Hai trovato qualcosa di interessante?» chiese il muratore. «Un tesoro nascosto?»

Scossi le spalle.

«Perché i tuoi dieci minuti sono passati da un pezzo. E io è ora che stacco.»

Annuii e mi trascinai sino all'auto. Mi accesi una sigaretta con l'accendino del cruscotto e rimasi a tremare al freddo per qualche minuto, incapace di mettere in moto. Mi ero immaginato tutto. No, lo avevo *rivissuto*. Ero rimasto chiuso in quella cantina come un sorcio. Ma che ci facevo lì dentro, cosa era successo?

Aaaaaaaassssss.

D'un tratto capii. Il suono che avevo udito non era un gemito inarticolato. Era un nome, e non lo avevo capito perché era stato pronunciato con le labbra spaccate e la lingua gonfia. Chiamavo l'uomo che mi aveva rinchiuso. L'amico che mi aveva rubato tutto.

Max.

Max.

Max.

Era stato lui. Ines non mi aveva detto dov'era, ma io l'avevo trovato ugualmente. In campagna, dove se ne stava rintanato. Lui non mi aveva ridato i quattrini, oh no. Mi aveva sparato. Una volta Max mi aveva portato a sparare. Aveva ancora una pistola dai tempi della rivoluzione, una cosina piccola che stava comodamente in una tasca. Aveva tirato alle pigne, ne prendeva due su tre. Ce l'aveva ancora. L'aveva usata contro di me prima di ficcarmi nel buco ad aspettare nel buio, a sperare che cambiasse idea e venisse a salvarmi. Con la sete, la fame, sempre più debole, sempre più... Ero impazzito, naturale. Era già tanto se non ero morto.

Max!

Dio, come odiavo Max in quel momento. L'infame, la carogna. Non c'erano termini per definirlo. Avessi avuto il pulsante per far saltare il mondo l'avrei premuto, solo per avere la certezza di far crepare anche lui. Mi aveva seppellito ed era andato a scoppiarsi quello che mi aveva rubato. Bastardo, vigliacco. Afferrai il volante e cercai di sradicarlo, fino a quando le braccia non mi fecero male. Mi ci vollero una decina di minuti prima di riprendere il controllo e dopo mi sentii stanco come se avessi corso la maratona. Mi accesi un'altra sigaretta, mentre il muratore mi passava a fianco su un motorino scassato, salutandomi con il clacson. Max non l'avrebbe passata liscia. Appena avessi risolto i miei guai attuali, lo avrei cercato per mare e per terra. Gli conveniva che mi dessero l'ergastolo per Roveda.

L'orologio sul cruscotto segnava le sei e trenta. Monica non fece commenti quando mi vide arrivare con gli occhi spiritati e lercio da far schifo. Ormai cominciava ad abituarsi all'idea che il suo promesso sposo non fosse più quello di una volta.

«Ho qui un tuo vestito che può andar bene per stasera. E anche della biancheria.»

«Bene.»

La casa di Monica era leggermente più piccola della mia, ma non credevo valesse meno quattrini. Poi era sua, mi disse, regalo del paparino. All'ultimo piano di un palazzo in piazza Sant'Ambrogio, dove potevano abitare solo principi e petrolieri. Il tetto del palazzo – vi andai a fumare perché dentro lei non sopportava l'odore – era diventato la sua terrazza dove, mi spiegò, dava feste quand'era stagione. Me l'immaginavo, l'allegra compagnia della Beagle che danzava, mentre Bianchi faceva un discorso alla piazza sottostante. Mi tolsi le ragnatele e mi sbarbai con un rasoio rosa che molto probabilmente Monica usava per depilarsi le gambe. L'abito era un completo a righe Dolce e Gabbana: con la cravatta nera sembravo un gangster, s'intonava al mio umore. Il cappotto non c'era stato modo di farlo tornare decente, nono-

stante le avessimo provate tutte. Decidemmo che l'a-
vrei tenuto ripiegato su un braccio, appena sceso dal-
l'auto.

«E lo consegni al guardaroba, quando entri.»

«Non sapevo ci fossero guardaroba, in chiesa.»

«Come chiesa?»

Non era in una chiesa, e non era neanche a Milano.
La riunione pecorelliana si sarebbe svolta, come le altre volte, in una villa fuori Verona. Altro posto me-
gagalattico: una facciata decorata da una doppia fila di colonne sovrapposte e un parco di sempreverdi
perfettamente curato, con aiuole rettangolari e un labirinto alla *Shining* che si stendeva a perdita d'occhio. La mia auto a noleggio fece una meschina figura
quando la parcheggiai tra le altre, nel grande spiazzo
ghiaioso di fronte all'ingresso. Era l'unica lunga meno di sedici metri, e l'unica rossa, per di più. La villa,
mi aveva spiegato Monica durante il viaggio, risaliva
ai primi anni del Seicento, e per molti secoli era stata
di proprietà di una famiglia di nobilastri. Negli anni
Settanta era stata comprata da un'americana sulla
quale si raccontavano storie infinite. Che era stata l'a-
mante dello scià di Persia e di Stanlio e Ollio assieme,
che era stata la prima a fare paracadutismo in bikini,
che guidava le Rolls Royce fino a quando finiva la
benzina e poi le gettava via. Poi Talula, questo il nome della tizia, aveva ricevuto una telefonata da Dio
Padre in persona e si era convertita, diventando la
più convinta sostenitrice di don Zurloni prima ancora che fondasse le Pecorelle.

L'altra cosa che scoprii di lei, quando ci venne ad
accogliere alla porta d'ingresso, io con il mio cappot-

to sul braccio e Monica in un abito da sera nero come il carbone, fu che Talula non era vecchia, ma antica. Arrivò preceduta da una cameriera che sembrava uscita da un film degli anni Trenta, con la crestina in testa e un bel paio di gambe (le cameriere, chissà perché, mi hanno sempre attizzato), e infilata in un girello da bambini, solo abbastanza grande per tenere in piedi il corpo di un adulto. Talula doveva essere stata una bella donna, eoni prima, e ancora conservava lineamenti perfetti e due occhi alla Bette Davis. Il corpo era uno spago su cui gli abiti penzolavano facendola sembrare un fantasma.

Talula rotellò sino ad abbracciare Monica, con cui scambiò due bacini sulla guancia, poi mi porse la mano dalle dita lunghissime e quasi trasparenti. Forse avrei dovuto baciargliela, ma la strinsi con la paura di rompergliela.

«Monica carissima, bene arrivata» sussurrò. «E Santo, Santo cosa hai fatto al viso?»

«È caduto dalla bicicletta, *Talula*» disse in fretta Monica, calcando sul nome per farmelo capire, nel dubbio non avessi ancora afferrato.

«Oh, povero. È successo anche a me, una volta, ma era un cavallo. Una brutta bestiaccia nera con gli occhi da diavolo, che per un pelo non mi calpestò a morte.» L'accento americano le arrotava le erre. «Naturalmente lo feci abbattere. Su, venite che siete gli ultimi.»

Consegnai il mio straccio alla cameriera e la seguimmo lungo un corridoio malamente illuminato, ma che sembrava quello di un museo per la quantità di quadri. Non ebbi il tempo di rimirarmeli, posto ne avessi voglia, perché Talula con le sue rotelle scivolava a mille all'ora e dovemmo correrle dietro. Durante il viaggio in auto, Monica mi aveva fatto un breve corso. Le Pecorelle avevano oltre diecimila aderenti sparsi per l'Italia, tra cui molti giovani che si *avvicinavano all'Altissimo*. Quello che si riuniva era il comitato fondatore, una cinquantina di persone responsabili di una qualche funzione o attività nel movimento pecorellesco, più eventuali consorti e parenti. Clima della serata: formale, anzi, «estremamente formale». Non erano ammesse risate a bocca aperta, rutti e non si poteva mangiare con le mani. Suo padre sarebbe stato lì. Ci davamo del tu e, nel caso mi fosse servito, il suo nome di battesimo era Pierluigi Maria, ma non dovevo dirlo per esteso.

L'inizio della serata, come mi era stato spiegato, fu nella cappella della villa. Vi arrivammo alle dieci passate uscendo dal salone principale (affreschi, candelabri d'argento che bruciavano centinaia di candele, lunghi tavoli dalle gambe scolpite coperti da tovaglie di lino) e percorrendo un breve tratto lungo un altro corridoio, questo più piccolo e costellato di quelli che i residui della mia educazione cattolica riconobbero come ex voto, piccoli quadri in legno con incisioni in latino, e immagini di santi, cristi e madonne che apparivano squarciando nubi o cavalcando raggi di sole.

Mi ero aspettato una cappella all'altezza del resto della villa, ma era solo una stanza circolare con i mattoni a vista e un altare piccolo e anonimo in legno scuro. Sembrava essere molto più recente del resto della villa, particolare che Monica mi confermò in seguito. L'aveva fatta costruire proprio Talula, agli inizi della sua conversione. Ci sarebbero state almeno il doppio delle persone sistemate sulle panche di legno, che valutai intorno al centinaio. Le Pecorelle erano tirate a lustro, uomini con abito della festa e donne con un qualche gioiello che non sembrava comprato al supermercato. Anche Monica aveva un paio di orecchini con pendente di diamante, che il mio occhio avido valutava antichi ed estremamente preziosi. Vi erano Pecorelle anziane, alcune quanto la padrona di casa, ma anche una coppietta di ragazzi che non doveva avere più di vent'anni. In una delle file centrali riconobbi il padre di Monica, che scoprii più massiccio e anche più giovanile di come l'avevo immaginato dalla fotografia. Il completo di lana azzurro faceva risaltare l'abbronzatura. Ci rivolse un discreto cenno di saluto, cui rispondemmo allo stesso modo prima di infilarci in una panca libera.

Talula si sistemò in una delle prime file di sinistra. Doveva essere stata predisposta per il suo girello, perché c'era una panca in meno. Don Zurloni era genuflesso davanti all'altare, nei paramenti sacri, e quando si girò verso di noi scoprii che portava gli occhiali scuri con i quali lo avevo visto nella foto su Internet. Mi sembrò una bizzarria, ma quando si mosse capii che aveva i suoi buoni motivi. Anche se doveva conoscere perfettamente la cappella e quanto vi stava dentro, le sue mani misuravano la distanza dagli oggetti prima di fare ogni passo. Psichiatra, cieco, Zurloni era una continua sorpresa. Mi aspettavo si mettesse a ballare anche il tip tap. Invece la messa, a parte il luogo, fu come le altre cui avevo assistito quando ero bambino, prima di decidere che la domenica mattina preferivo andarmene in giro a bruciare lucertole. All'inizio ebbi qualche problema a ricordarmi le preghiere, ma dovevo averle conservate da qualche parte, perché un po' alla volta ritornarono. O forse erano ricordi del pubblicitario. L'omelia fu meno barbosa di quelle che mi tormentavano da piccolo, grazie alla recitazione di Zurloni. Aveva una voce profonda, a differenza di quella seghina del mio parroco di allora, e non disdegnava la battuta complice con il pubblico, tra un invito e l'altro a distaccarsi dai beni terreni e smollare il surplus ai poveri. Recitò anche un brano con voce ispirata, di cui seguii solo le prime frasi prima di tornare a pensare ai cazzi miei.

> T'ho trovato in tanti luoghi, Signore!
> T'ho sentito palpitare nel silenzio altissimo
> d'una chiesetta alpina,
> nella penombra di un tabernacolo
> di una cattedrale vuota...

Gli mancava giusto la musica per sembrare una canzone dei Pooh.* Quando feci la comunione don Zurloni mi toccò per centrare la bocca. Da quel breve contatto sembrò riconoscermi, perché gli vidi un mezzo sorriso che non aveva fatto a quelli che mi avevano preceduto. Eh, già, eravamo amici da tanto, tanto tempo. Mi tolsi anche uno sfizio che avevo da sempre, quello di bere dal calice avvicinatomi dal chierichetto. Le Pecorelle lo facevano tutte, forse era il loro rito segreto. Alla fine il vino consacrato non è questo granché, era piuttosto annacquato e pieno di briciole.

La messa è finita, mangiate in pace.

---

* In realtà si tratta di una preghiera di Chiara Lubich, ma quel cialtrone di Santo non lo sa. [N.d.A.]

I tavoli del salone, adesso, erano coperti di vassoi fumanti e dietro ogni vassoio attendeva un cameriere in giacca e guanti bianchi. Un largo ripiano era occupato da cesti di frutta, formaggi e bottiglie di vino che un cartello indicava come prodotti della "SS. Sangue", la comunità di recupero gestita dalle Pecorelle. Nelle fotografie appese alla parete la "SS. Sangue" appariva una fattoria modello, dove giovani di entrambi i sessi vestiti di bianco sorridevano felici, spalando letame e strigliando cavalli, o giocando a pallone dietro una recinzione. I prodotti, avvisava il cartello, venivano venduti in "oltre mille negozi partner *Cibosanto*™".

«L'hai inventato tu il nome» mi disse Monica.

«Mai che ne faccia una giusta.»

In una delle immagini, un solitario giovanotto biancovestito sembrava guardare con nostalgia l'orizzonte oltre la recinzione. Avrei voluto sapere come si chiamava, per mandargli una torta con la lima.

Mi tenni Monica sempre al braccio, per gli eventuali suggerimenti, e mi fu utile con il solito codice *naso-orecchio* (ciao o buonasera) e con i nomi di quelli a cui stringevo la mano. Lei me li sussurrava, o li strillava scambiandosi bacini con le perpetue, poi mi dava qualche notizia aggiuntiva così da permettermi di orientarmi. Le informazioni duravano nella mia testa lo spazio di un nanosecondo: capii solo che il pubblicitario, per quanto ben piazzato nella scala sociale, era parecchio al di sotto della media. Nessuna delle Pecorelle che mi rivolse la parola mi aveva incontrato dall'ultima riunione e nessuno di loro mi sembrò il tipo adatto a essere il mio misterioso attentatore. O erano troppo vecchi, oppure avevano abbastanza quattrini per assoldare un killer più efficiente.

Talula scivolava ovunque come avesse i retrorazzi, turbinando tra i gruppetti per mantenere vive le conversazioni, mentre io tenevo d'occhio don Zurloni aspettando il momento buono per avvicinarmi. Il chierichetto, adesso in abiti civili che comprendevano anche una cravatta mignon, gli faceva da cane guida, aiutandolo con il cibo e le bevande.

Sganciandomi da Monica lo seguii mentre camminava nel gelo del parco fino a un gazebo dove un quartetto di suonatori stava cominciando a provare strumenti e amplificazione. Fin dove potevo vedere, il parco era illuminato da lampioncini in ferro battuto, con una palla di vetro in cima. Oltre il gazebo si scorgeva una fontana asciutta, con una statua consumata dagli anni che rappresentava un pesce con la bocca spalancata. Don Zurloni benedì i membri del gruppo musicale, che sembrava formato da capelloni degli anni Sessanta. Quando ero ancora a qualche passo da lui, si voltò. «Santo?»

Più che un prete sembrava Devil, con il senso radar.

«Sì. Posso parlarle?»

«Ma certo, lo speravo, anzi.» Allungò un braccio perché lo prendessi. «Lasciamo che questo bambino» alludeva al chierichetto, ancora al suo fianco, «si distragga un po'. Facciamo due passi?»

Il suo braccio s'infilò sotto il mio, e io lo condussi in una zona del parco senza ficcanasi e con una strana stufetta a gas a forma di fungo sotto il quale mi piazzai a scaldarmi le ossa. Ce n'erano ovunque, che rilucevano di rosso come braci di sigaretta e si perdevano lontano. Il prete, invece, sembrava indifferente al freddo. Aveva giusto un golfino nero buttato sulla tonaca.

«Cosa ti preoccupa?» chiese.

«Come fa a sapere che sono preoccupato?»

«Perché hai l'anima pesante. L'anima ha un suo profumo particolare, e quando è pesante io riesco ad annusarla. E non mi hai ancora abbracciato. È la prima cosa che fai quando ci incontriamo; stasera, invece, mi sei stato distante.» Allargò le braccia e fui costretto a stringere il suo corpo decrepito. Mi accarezzò la testa prima di mollarmi, mai troppo presto. «Cosa c'è? È per via della morte tragica di Mariano Roveda?»

«Anche.»

«Stasera tutti ne chiacchieravano sottovoce, pensando che non sentissi. Dimenticano che il Signore mi ha tolto la vista, ma mi ha dato delle buone orecchie. Era un sodomita, credo che si divertirà poco dov'è ora.»

Brrr. «Ma non volevo parlare di quello. Si ricorda quando ero ricoverato?»

«Certamente. È stato l'inizio del nostro cammino assieme. Perché me lo chiedi?»

«Ho avuto una… una piccola ricaduta qualche giorno fa.»

Si fece attento. «Me ne stai parlando come medico o come sacerdote?»

«Decida lei.»

«Sentiamo, di che ricaduta si tratta?»

«Ho qualche confusione sui ricordi. Soprattutto di quel periodo. Può essere lo stress?»

«Lavori molto. È un bene fino a quando non si esagera. Che altri sintomi hai? Depressione, stanchezza?»

«Più o meno. Come stavo quando sono arrivato al Sacco?»

«Se non mi sbaglio, ti abbiamo preso in cura dopo che il pronto intervento del Niguarda ti aveva trasferito da noi. Fisicamente ti stavi riprendendo bene dalla tua esperienza, anche se eri in uno stato molto vicino alla catatonia.»

«Cosa facevo? Prendevo a calci le pareti, mordevo?»

Rise. «Ma no, ma no. Esattamente il contrario. Non ti muovevi dal letto e parlavi a fatica. In special modo i primi giorni, perché lo stato di estrema spossatezza ti rendeva difficoltosi i movimenti. Il tuo referto diceva, se non ricordo male, che eri rimasto privo di cibo e acqua per un lungo periodo.»

Eh, già. Ebbi un brivido ricordando il corpo che strisciava nel buio.

Aaaaaaassssss.

Scacciai l'immagine. «Quanto lungo?»

«Almeno una settimana. Eri rimasto imprigionato in una specie di cantina. Un senzatetto era andato a ripararsi dalla pioggia e ti ha trovato.»

«La polizia l'ha descritto?»

«Non ricordo con precisione. Una persona anziana, comunque. Guidata dalla Provvidenza.»

Non poteva essere Max, allora. Nessun rimorso di coscienza. «Cosa ho raccontato di quello che mi era successo?»

«Niente. È rimasto un mistero. L'avevi completamente rimosso, ma deve essere stato terribile. Forse provi disagio perché stai cominciando a ricordare. Hai avuto anche attacchi di ansia, di panico?»

Sì. «No.»

«Non ti spaventare se ti dovesse capitare. A volte succede, anche a distanza di anni. E, naturalmente, io sono qui ad ascoltarti nell'eventualità. Come confessore e come tuo medico. In fondo è l'unico pezzo che mi manca della vita del nostro comune amico Trafficante.»

Fu un piccolo colpo. «Le ho raccontato tutto?»

«Hai aperto il tuo cuore, piano piano. Questo te lo ricordi, vero?»

«Certo» ringhiai.

«E ti sei lasciato alle spalle la vita che facevi. Hai imparato a perdonare e a farti perdonare. La gioia che ho provato quando hai ripreso a studiare è stata indescrivibile.»

«Tutto merito suo.» L'avrei strangolato sul posto.

«No, è merito del Signore.» Fin lì non ci potevo arrivare.

Si voltò di scatto verso il vialetto. Il suo senso radar aveva individuato Monica che si stava avvicinando a braccetto con suo padre.

«Santo, papà voleva incontrarti» disse quando fu a tiro, un po' preoccupata. «Ma forse vi stiamo disturbando.»

«Stavamo solo facendo due chiacchiere da buoni amici» disse il prete.

Bonanno mi strinse la mano. «Cos'è questa storia della bicicletta?»

«Cerco di rimettermi in forma.»

«A Milano andare in bici è come giocare alla roulette russa. Padre, le dispiace se le porto via questo giovanotto per qualche minuto?»

«Solo se me lo tratta bene. Stasera è di umore fragile.»

Bonanno sorrise alla figlia. «Monica, perché non accompagni padre Zurloni dagli altri ospiti?»

Monica ebbe un fremito di panico. Io da solo con il suo vecchio, chissà cosa potevo combinare. Ma quello di Bonanno era un ordine, non un invito. Mi sembrava affranto dal lutto più o meno come un pezzo di cemento.

Monica annuì. «Certo.» Prese a braccetto il prete e lo condusse verso il vialetto.

«Rimaniamo qui» disse Bonanno «così mi fumo un sigaro.»

«Va bene.»

Bonanno si sedette su una panca dello stesso metallo dei lampioni, coperta dal raggio d'azione del fungo riscaldante. Mi sistemai all'altra estremità, ancora con la testa nella cantina buia.

«Ho saputo che hai avuto qualche problema, in ufficio.»

Mi riscossi. «Davvero?»

«Mi dicono che sei nervoso, che ti comporti in modo strano.» Bonanno accese il sigaro tenendolo sospeso tra due dita. «Spero non sia vero. Non è il momento, questo, per fare mattane.» Il tono non era più affabile come prima. «E non mi hai mai risposto al telefono, quando ti ho chiamato. Come puoi immaginare, ero preoccupato.»

«Ho avuto un po' di contrattempi.»

«Capisco.» Aspirò con forza finché non fu soddisfatto dalla quantità di brace. «Immagino che tu sappia le novità.»

«Roveda?»

Sembrò che avessi detto un'immensa idiozia. «Non sto parlando di quel vecchio ciucciacazzi. Sto parlando del Consiglio. Non sarà ufficiale sino alla settimana prossima, ma non ci sono più dubbi.» Fece una pausa teatrale. «Sarò io il nuovo amministratore delegato. Ho passato gli ultimi due giorni con gli eredi di Giuseppe e finalmente si sono decisi. Ma non potevano fare altrimenti, se non volevano andare in malora.»

«Complimenti» dissi.

Fece un sorriso soddisfatto. «Credo che siano anche intenzionati, alla fine, a cedere parte del pacchetto, e allora l'agenzia tornerà a essere nelle mani giuste. È per questo che tutto deve essere in ordine, che non devono esserci contrattempi di nessuna natura, mi spiego? Di nessuna natura.»

«Ti sei spiegato.»

«Bene.» Mi fissò. «Adesso dimmi che ne hai fatto dei tabulati.»

Quinto giorno

1

«Cosa voleva dirti papà di tanto importante?» Monica era raggomitolata sul sedile passeggero. Si era tolta le scarpe e aveva appoggiato i piedi sul cruscotto, assonnata e leggermente brilla per il vino. Sul sedile posteriore aveva appoggiato un'orribile borsetta con le perline comprata al banchetto Cibosanto, da regalare alla figlia della sua portinaia.

Avevo appena imboccato l'autostrada, l'orologio della macchina segnava l'una in punto.

(Impara: *Viacard*. Impara: *controllo elettronico della velocità*. Impara: *infotraffico*.)

«Niente... Voleva sapere dell'ufficio. Cose così.»

«E perché non l'ha chiesto a me?» Sbadigliò. «Voi uomini...» Sembrava felice. Si sistemò meglio sul sedile e chiuse gli occhi.

La conversazione con suo padre era proseguita così com'era cominciata. Annaspavo dietro allusioni che non capivo, mi sforzavo di nascondere la confusione. «I tabulati li ho distrutti» avevo mentito. Li vedevo con gli occhi della mente incastrati dietro l'armadietto del bagno, non il posto più sicuro del mondo. Speravo che i *contractors* arrivassero in fretta a liberarmi la via.

211

«Bene.» Bonanno aveva dato una poppata al suo sigaro. «E hai trovato qualcosa di utile almeno negli ultimi?»

«Non ho avuto il tempo di controllare.»

«Quindi non lo sai.»

«No.»

Bonanno sembrava scocciato. «Ho perso tre mesi aspettando che la tua idea desse qualche frutto, e invece non sei mai riuscito a trovare qualcosa di utile. Mai.» Aveva sorriso. «Per fortuna che Mariano ci ha pensato da solo a togliersi dai piedi, anche se in quel modo così plateale... So che sei stato convocato dal giudice.»

Avevo annuito.

«Non mi piace, ma non abbiamo niente da temere, vero?» Mi spiava da sopra la brace del sigaro, attento a cogliere ogni mia reazione.

«No, ovviamente.» Avevo azzardato: «Chi è stato, secondo te?».

«Magari si è trattato di un incidente, si sarà inginocchiato davanti a uno di quegli efebici giovanotti che gli piacevano tanto e gli è finito un cazzo nell'occhio.» Non mi era venuto da ridere. «Ci andranno a nozze, i giornali, con la sua vita privata. Speriamo solo che gli schizzi di merda non raggiungano l'agenzia.»

«Speriamo.»

Aveva annuito. «Finché questa fase non sarà finita, sarò costretto a mantenere anche la carica di direttore generale. La tua candidatura non è opportuna, per ora. Sei d'accordo con me, vero?»

«Eh?» Concordavo? «Sì.»

«Ero sicuro che avresti capito. Ma non ti preoccupare, verrà anche il tuo momento. Non subito, ma verrà. Ti fidi di me, no?»

Potevo deluderlo? «Come di me stesso.»

«Bravo. Continua a fidarti e andrà tutto bene.» Un gruppetto di invitati stava uscendo dal salone, rabbrividendo per il freddo. Bonanno mi aveva stretto la spalla malata. «Ti terrò aggiornato» aveva detto raggiungendo gli altri. Io mi ero acceso una sigaretta, ascoltando la prima canzone del gruppo che giungeva da lontano.

> Ho conosciuto l'amore attraverso di te
> Ho conosciuto la vita attraverso di te
> Ho conosciuto me stesso attraverso di te
> Non lasciare che cammini per queste vie oscure...
> Senza di te.
> Senza di teeeeeeeee. Senza di teeeeeeeee.

Al dodicesimo *te* avevo capito che dovevo pensarlo con l'iniziale maiuscola. Niente sesso da quelle parti, solo amore cristiano. Vedevo Monica, in trasparenza dietro il vetro, tenere banco circondata da un gruppetto di Pecorelle, mentre le altre sciamavano fuori a godersi lo spettacolo, con dei piccoli plaid bianchi sulle spalle forniti dai camerieri. Avevo origliato le conversazioni.

(Impara: *Charity*. Impara: *Fund Raising*. Impara: *consiglio dei laici*. Impara: *cellule staminali*.)

Avevo dovuto aspettare un'ora prima di riuscire a recuperare Monica e infilarmi in autostrada. La festa cominciava a farsi caliente. Le Pecorelle battevano le mani a ritmo con la nuova canzone, che aveva qualcosa di familiare.

Ti prego,
un soldo,
Ti prego,
in aria,
Ti prego,
se viene croce vuol dire che basta...

Monica si mosse sul sedile. «Dormi da me, vero?»

Era meglio del Cupido, dove probabilmente mi avrebbero respinto a colpi di fucile, e accettai.

Quando Monica si addormentò, rimasi con le braccia dietro la testa a fissare il soffitto della camera da letto.

Aaaaaaassss. Aaaaaaaasss.

Ogni volta che chiudevo gli occhi vedevo la cantina. Mi immaginavo a leccare le pareti per succhiare qualche goccia d'acqua. Magari avevo trovato qualcosa di bevibile tra i rifiuti, o avevo spremuto sangue ai topi. Dovevo la vita a uno sfigato che aveva cercato un posto dove stare, altrimenti mi avrebbe trovato il muratore rasta, quattordici anni dopo, ridotto come la mummia di Tutankhamon.

Aaaaaaassss. Aaaaaaaasss.

Faticavo a respirare, mi sembrava che la gola si rivoltasse impedendomi il passaggio dell'aria. Morivo. La sera dopo la Scala mi ero sentito sciogliere, ma avveniva tutto dentro la mia testa. Adesso era una sensazione fisica. Il cuore batteva troppo in fretta, sudavo gelido, annaspavo, i polmoni non riuscivano a gonfiarsi. Era così insopportabile che non potevo stare sdraiato. Mi alzai e vagai per l'appartamento, muovendomi in silenzio come il fantasma che ero. In salotto la luce dei lampioni si rifletteva sui mobili di legno chiaro e sulle fotografie incorniciate sulle mensole. In molte c'era anche il pubblicitario. In una era in completo bianco e camicia slacciata e sorrideva all'obiettivo sullo sfondo di una città che poteva essere Parigi. In un'altra era con Monica a prendere il sole sul ponte di una barca a vela. Lui aveva un cappellino da marinaio e la trippa al vento, Monica in topless si faceva ombra al viso con una rivista. Chissà se la foto l'aveva scattata uno skipper o invece Bonanno era con loro e li guardava amorevole, mentre pensava come fregare il *vecchio ciucciacazzi*. Il pubblicitario si era offerto volontario per il lavoro sporco, in cambio di una promozione che non sarebbe mai arrivata. Che grande, gigantesco fesso.

Aaaaaaassss. Aaaaaaaasss.

Solo quando cominciò a rischiarare riuscii a rimanere sdraiato. Mi addormentai appena toccato il cuscino e non sognai. Speravo di non sognare mai più.

Monica mi scosse. Era in accappatoio, e si stava spazzolando i capelli.

«È ora di muoversi.»

«Che ore sono?» grugnii.

«Le otto.»

«L'alba... lasciami stare.»

Mi sculacciò con la spazzola. «Su, pigrone. Le mani senza ozio sono mani senza vizi.»

«La dice Zurloni questa cagata?»

«No, è lo slogan di Cibosanto. Tuo.»

«E di chi altri poteva essere?»

«Dico che ritardi?»

«Ecco, brava.»

«Tanto si stanno abituando a vederti poco.» Sentii un frusciare di vestiti, poi le chiavi tintinnarono sul comodino. «Lasciamele nella cassetta.»

Non riuscii più a riaddormentarmi. Recuperai gli abiti sparsi e mi preparai un caffè. Il fornello era una piastra di cristallo che non emanava calore, ma quando appoggiai la caffettiera su uno dei cerchi luminosi divenne subito rovente. Bah, ormai non mi stupivo più di nulla. Mi presentai alla B&M alle dieci e mezzo, ancora piuttosto assonnato. Strisciai il badge nel cancelletto. Luce rossa. Provai ancora. Luce rossa. Tentai un altro paio di volte prima di rivolgermi alla guardia nel gabbiotto. Era la stessa che mi aveva fornito la stampata di Salima. «Buon giorno *dottore*» disse vagamente canzonatorio. «Cosa posso fare per lei?»

«Non funziona il coso.»

«No, *dottore*. Il *coso* funziona. È il suo badge. Può darmelo, per favore?»

Glielo passai, lo infilò in un cassetto e lo richiuse.

«Be'?»

«Ah, mi dimenticavo, questa è per lei.» Mi porse una busta. Recava l'intestazione della B&M. *Gentile Dottor Denti...*

L'avevano scritto in cinquanta righe, ma si poteva riassumere in: sospeso. Il direttore del personale se ne "doleva" ma, vista la recente inchiesta giudiziaria, l'Agenzia riteneva opportuno che mi dedicassi a tempo pieno alla mia difesa. Avrebbero continuato a pagarmi lo stipendio "fino a nuove decisioni in merito". Mi sembrava di vedere gli occhi di Bonanno fissarmi tra le righe, probabilmente aveva già fatto preparare la lettera prima di incontrarmi alla festa Pecorella. Fidati di me, come no? Se avessi protestato, via anche lo stipendio: quel *fino a nuove decisioni in merito* era abbastanza esplicito. Avrei dovuto esserne sollevato: niente levatacce e riunioni di cui non sapevo un accidente. Però non ci riuscivo, avrei voluto prendere per il collo il vecchio stronzo e farlo rotolare per le scale. Pippo entrò in quel momento, e fece finta di non vedermi. Già lo sapevano, le voci corrono veloci.

«Se le serve qualcosa dalla sua scrivania, posso accompagnarla» disse il guardiano. Se la stava godendo alla grande e se la sarebbe goduta ancora di più a scortarmi come un carcerato in transito, mentre nel corridoio del mio piano il brusio calava di colpo e gli impiegati si sporgevano a guardarmi dai divisori.

«Non mi serve niente, grazie.» Mi tolsi dal portafoglio l'ultimo pezzo da cinquanta e lo posai sulla mensola del gabbiotto. «Tieni. Comprati un regalino che renda meno miserabile la tua vita.»

Mollai lo sceriffo combattuto tra avidità e orgoglio e uscii in contemporanea con la chiamata di Monica. «Sì, so già tutto» le dissi mentre scendevo i gradini del palazzo. Kamikaze in giro? Motociclisti? Niente, bene.

«È una cosa inconcepibile!» urlò Monica. «Ho parlato con mio padre, ma mi ha detto che gli eredi di Manetti sono stati irremovibili. Mi ha assicurato che sarà solo una cosa di pochi giorni, finché si chiude l'inchiesta.» Pausa. Respiro. «Santo? Ci sei?»

«Sei una brava ragazza, Monica. Non so come hai fatto a sopravvivere sino a oggi, ma sei una brava ragazza. Non cambiare.» Riattaccai. Mi allontanai in auto scegliendo un percorso a caso, poi parcheggiai e passeggiai per scaricare i nervi. Rimasi impalato sotto il nuovo monumento di piazza Cadorna, un cilindro di metallo che bucava il terreno alto una decina di metri. Pareva un omaggio ai tossici milanesi. Tossici come Max. *Dove sei, bastardo? A chi stai rubando i soldi, adesso?* Continuavo a reprimere la voglia di andarlo a cercare. Quando mi ero risvegliato, avevo pensato che non fosse il caso di rivangare la nostra questione. Max mi aveva fatto uno sgarro, ma Trafficante era sparito da tanto di quel tempo che non valeva la pena di difendere il suo onore. Mi bruciava, nel mio tempo soggettivo era passata meno di una settimana, ma mi sarebbe passata. Adesso, però, sapendo quello che mi aveva fatto, vivendolo sulla mia pelle ogni volta che chiudevo gli occhi, non ero più disposto a mettermela via. Lo avrei trovato anche se aveva cambiato sesso e faceva la battona a Shanghai.

Il gigante mi chiamò. Avevo segnato il suo numero nella memoria del telefonino e risposi. Mi aveva combinato un incontro con "gli idraulici" per quella mattina, se ero disponibile. Intorno a mezzogiorno poteva andare bene? Avevo il tempo per rientrare e risposi di sì.

«Il lavoro sui *tubi* costerà un po' caro» aggiunse. «E vorrebbero contanti. Sai, non emettono fattura.»

«Quanto?»

«Duemila come anticipo. Il resto lo potrai saldare con comodo. Be', non troppo comodo.»

Ah, ci sarebbe stato anche un resto? La banca di sicuro non mi avrebbe fatto credito, vista la mia situazione. Ero stupito di non aver ancora ricevuto una telefonata per l'assegno di Spillo. Mi servivano i codici delle carte di credito. Nel portafoglio non c'era nessun bigliettino utile, e mi chiesi dove potesse esserseli segnati il pubblicitario. In un posto sicuro, per averli sempre con sé nei momenti di *amnesia*... Nella rubrica del cellulare, ovviamente. Sotto *Prelievo*: leggendolo la prima volta lo avevo giudicato un cognome bizzarro. Tre serie di quattro cifre. Per associarle alla carta giusta mi ci volle qualche tentativo, con una spaventosa voce registrata che ripeteva «Si prega di riprovare», e prelevai il massimo consentito da tutte e tre.

(Impara: *codice* PIN. Impara: *ricarica cellulare*.)

Misi in tasca l'anticipo per il lavoro e qualche spicciolo per tirare avanti.

Quando arrivai a casa mia, trovai in piedi sotto il portone due uomini in completo scuro e occhiali neri, gli idraulici più eleganti che avessi mai incontrato. Si assomigliavano, uno sulla trentina, l'altro sui cinquanta, con spalle larghe, mascellone e faccia da pirla. Avevano con loro due valigette di metallo, che immaginavo contenessero i famosi *sniffer*. Il più anziano dei due mi porse la mano. «Dottor Denti?»

«Piacere.»

«Mi chiamo Carlo, lui è Paolo.» Paolo fece un cenno con la testa. «Dove possiamo parlare?»

«Scendiamo nei garage.»

Mi seguirono lungo la rampa per le auto e ci fermammo davanti al mio garage.

«Quella che opereremo sarà una bonifica ambientale, *ufficialmente*» disse Carlo, calcando sull'ultima parola, «volta alla ricerca di microspie. È un'operazione ammessa dalla legge.»

«Afferrato.»

Gli diedi i soldi pattuiti, li contò e li mise in una clip d'oro che sparì nella tasca della giacca. «È quello il suo box?»

«Sì.»

«Gentilmente mi fornisca le chiavi e si allontani.»

I due estrassero dalle valigette un paio di aggeggi, uno sembrava un piccolo aspirapolvere a batteria, l'altro una scatola della dimensione e forma di una stecca di sigarette. Entrambi pieni di lucette e pulsanti.

«Non credo che dovrete cercare qualcosa di particolarmente elaborato.» Spiegai loro del computer.

«Ed è esploso quando lo ha acceso?» chiese Paolo mentre regolava uno degli strumenti. Quando si chinò, notai un'imbottitura aderente sotto la camicia. Antiproiettile, immaginai.

«No. Dopo un po' di ore.»

«Un dilettante, allora. La carica avrebbe dovuto saltare subito. Probabilmente l'ha collegata male e la bomba è esplosa per il calore generato dal computer, e non per l'innesco elettrico.» Aveva l'aria di chi poteva farlo senza errori. «A meno che non abbia usato un telecomando. Ma per farlo non doveva essere troppo lontano. Più ti allontani, più il segnale è disturbato. In special modo se deve attraversare delle pareti.»

Era un pensiero inquietante. Che ne sapevo, in fondo, dei miei vicini di casa?

Esaminarono il portellone del box e quando furono soddisfatti uno dei due girò la chiave, mentre l'altro rimaneva a guardare le oscillazioni di un ago sull'apparecchio più piccolo. «Vai» disse.

Carlo aprì il portellone. Mi tappai le orecchie, non successe niente. A quel punto esaminarono il mio carro funebre, sopra e sotto, poi l'aprirono e setacciarono l'interno.

«Pulita» disse Paolo. Batté una manata sul cofano. «Bella bestia. Quanto fa con un litro? Cinque chilometri?»

«Non ne ho idea.»

«Se non lo sa, vuol dire che se lo può permettere.» Vidi il mio conto finale lievitare.

Il lavoro nell'appartamento non fu così semplice, e nemmeno così veloce. Cominciarono dallo zerbino e prima di aprire la porta spiarono dentro la serratura con un aggeggio che sembrava una sonda da ospedale. Studiarono l'immagine su un visorino. «Niente» disse Carlo.

Aprirono, e aspettai qualche minuto prima di seguirli. Hai visto mai che ci fosse un congegno a tempo. Nessun botto.

I due si tolsero le giacche e le appoggiarono sullo schienale di una sedia, attenti a non spiegazzarle. «Dov'è il computer?» chiese Paolo.

«In mansarda.»

«Ci indichi la strada, per favore.»

La percorsero annusando ogni gradino, e finalmente, vicino alla scrivania, per la prima volta lo *sniffer* cominciò a pigolare.

«Cos'è?» chiesi sporgendo solo la testa dalle scale.

Paolo lesse i numeri che si agitavano sul display. «Dovrebbe essere nitrato di potassio combusto» disse. S'infilò un paio di guanti di plastica, passò un pezzo di cotone sulla scrivania e lo inserì nella pancia dell'apparecchio. Aspettò un paio di minuti e lesse sull'indicatore. «Proprio così. Non è più pericoloso.»

«Cos'è il nitrato di potassio?»

«Uno dei componenti della polvere nera. Il prodotto più comune in commercio. In soldoni, è stata una bomba carta o poco più.»

Passarono in esame il resto della mansarda e il balcone. Non ci furono altri pigolii.

«Potreste gentilmente fare subito il bagno al primo piano? Ho una certa necessità.»

Anche il bagno era *pulito*. Chiusi la porta a chiave

ed estrassi da dietro il pensile la busta dei maledetti tabulati. Li stracciai in pezzi minuscoli, busta compresa, e li gettai nel water. Ah, che liberazione. Stavo per tirare lo sciacquone, quando immaginai gli sbirri frugare nello scarico ed estrarne un pezzettino compromettente. *Dottor Denti, ci spieghi cos'è questo.* No, meglio di no. Mi inginocchiai e raccolsi tutti i frammenti, comprimendoli in una palla di cartapesta gocciolante che mi infilai in tasca.

Fuori i due duri stavano setacciando la casa come neanche Rosario e consorte dovevano avere mai fatto. «Per quanto ne avrete?» chiesi.

«Se non troviamo niente, un paio d'ore.»

«Posso lasciarvi per sbrigare una commissione?»

Non c'erano problemi. Anzi, meglio. Mi allontanai dal palazzo e tirai la palla in un cassonetto. Trovatelo adesso, pensai. Di tornare mentre i due frugavano non ne avevo molta voglia e camminai lungo corso Vercelli guardando le vetrine. Una attrasse la mia attenzione: *Internet point* (impara). Dietro le vetrine si vedevano una ventina di computer in fila su banchi da scuola, molti dei quali liberi. Un euro per un'ora di connessione. Il commesso brufoloso mi fotocopiò il documento (*sa, per la legge antiterrorismo*) e mi consigliò di usare le Pagine Bianche on line per quello che, molto vagamente, avevo detto mi serviva. Inserii il nome completo di Max nella finestrella. A Milano non risultava, e nemmeno a Roma. Provai qualche altra città e non ebbi fortuna. Non poteva essere così facile, no?

Mangiai un gelato fuori stagione e rientrai a casa. I due stavano finendo di impacchettare gli avanzi del computer.

«Lo *smaltiamo* noi» disse Paolo. «Non si preoccupi, sappiamo come.»

«Finito?»

«Finito. Può dormire sonni tranquilli» disse il più anziano. «Abbiamo trovato qualcosa di strano, ma non è una bomba di sicuro.» Salimmo insieme nel salone, dove mi indicò il camino. «C'è una scatola di metallo, qui» indicò la cappa. «Un parallelepipedo di circa ottanta centimetri di lato, e spesso circa venti centimetri, con un debole campo elettrico. Dall'interno del camino non si vede nulla. Ne sa qualcosa?»

«No.»

«Non sono affari miei, ma questa è casa sua?»

«Sì, perché?»

«Perché dovrebbe sapere se ha una cassaforte nascosta.»

I miei soldi! Guardai dentro il camino, voltando la faccia verso la canna fumaria. Non si vedeva nulla di strano.

«E se ci fosse davvero, come si aprirebbe? Non ci sono serrature.»

«Forse una c'è, anche se non è molto comune.» Mi indicò una piccola depressione tonda sotto la mensola di pietra, larga quanto la falange di un pollice. Quasi impossibile da vedere, se non si sapeva dove guardare. «Serratura magnetica.»

«Come funziona?»

«Appoggi la chiave e si apre. Ogni chiave contiene un microchip con un codice, e funziona meglio di una combinazione. Ma senza le tocca usare una torcia ad acetilene. Se la cassaforte non è sua... forse l'ha fatta mettere il proprietario precedente, cosa dice?» Non ci credeva manco un po'.

«E, mi scusi, come sarebbe fatta questa chiave?»

«Non c'è un formato standard. Ma non dovrebbe essere molto grande, corpo di plastica e testa in metallo.» Mi strinse la mano. «La saluto, arrivederci. Ci metteremo in contatto con lei per il saldo.»

Mi restituì le chiavi di casa e scoprii che non avevo bisogno di mettermi a frugare. L'aggeggio magnetico era appeso al mio portachiavi, semplicemente. L'avevo scambiata per un brutto ciondolo a forma di fungo chiodino. Plastica blu e una semisfera di metallo in cima: se non era il coso giusto, gli assomigliava davvero molto. L'appoggiai alla depressione sotto la mensola e si udì immediatamente uno scatto: una lastra di metallo spessa un paio di centimetri scivolò dal bordo superiore del camino verso il pavimento.

Infilai la testa nel focolare, non comodissima come posizione. Il pezzo che era scivolato aveva fatto scorrere con sé due file di mattoni, rivelando l'interno della cassaforte illuminato da una piccola lampadina. Mi ero già immaginato di mettere le mani sui quattrini e per un istante mi sembrò di vederli, impilati sulle strette mensoline. Ma erano solo tre buste di carta, troppo piccole per contenere centomila euro. Merda. Le gettai sul pavimento, poi appoggiai di nuovo la chiave nel buco. *Clic*, lo sportello scivolò al suo posto.

Aprii la busta più grande. Erano altri tabulati, ma che palle. Solita intestazione, *Utenze Roveda*, la data risaliva all'ottobre precedente. Il pubblicitario ci aveva lavorato sopra, cancellando i numeri uno a uno. Solo tre, diversi ma con lo stesso prefisso (004191), erano ancora leggibili e circolettati di rosso. Uhmm. La seconda busta conteneva quattro fotografie, scattate con un teleobiettivo. Si vedeva Roveda che scendeva dall'auto e stringeva la mano a un uomo calvo ed elegante, sulla quarantina. Niente baci galeotti. Sullo sfondo si vedevano i tavolini di un bar all'aperto e una piazza in porfido. Nelle foto seguenti i due salivano su un'altra automobile con i finestrini oscurati. La targa dell'auto era ingrandita nell'ultima immagine: TI. Svizzera, Lugano. Se il prefisso corrispondeva, voleva dire che il pubblicitario era risalito all'interlocutore di Roveda e li aveva fatti seguire da Spillo, se non addirittura da solo. Di questo incontro, che doveva avere una qualche importanza se valeva tanto sbattimento, al padre di Monica non ne aveva parlato. Perché?

La terza busta era leggermente più piccola e notevolmente ciancicata. Quando la scossi ne uscì un'altra serie di fotografie che si sparsero sul pavimento. Immaginavo di trovare ancora Roveda, ma il soggetto era cambiato. Eravamo io e Salima, nudi, che ci davamo dentro.

2

L'ambientazione era quella di una camera che non conoscevo, ma da qualche particolare immaginai fosse l'appartamento di Salima. Io avevo la faccia da scemo, un po' come i tizi sulle rubriche di "Le Ore" tipo "Autoscatto" con la mascherina nera. Bisogna essere dei professionisti per venire bene mentre si fa sesso. Salima, invece, non avrebbe sfigurato sulla copertina di "Playmen". Il karate la manteneva in forma, non aveva un grammo di grasso ma non era nemmeno filiforme come Monica. Tra le sue gambe c'era da rimanerci secchi. E dall'espressione che avevo in certe immagini, sembrava fossi lì lì per farlo. E non mi ero tolto i calzini, che orrore. Pensai per qualche istante di aver scoperto il vizietto segreto del pubblicitario, si diventa un po' morbosi invecchiando, eh, ma subito dopo capii che le foto non poteva essersele fatte da solo. L'obiettivo si spostava seguendo i movimenti dei due che scopavano. E dalle imperfezioni sulle immagini, si vedeva che erano state scattate da dietro il vetro di una finestra. Lo spione spiato. Da ridere.

Si era fatta l'ora di andare, ma non potevo rimettere quella roba dove l'avevo trovata, e tanto meno mi andava di distruggerla finché non ci capivo qualcosa di più. Infilai tutto nella busta più grande, recuperai un rotolo di nastro adesivo dalla mansarda e scesi nel seminterrato alla ricerca di un nascondiglio degno di Trafficante. La piscina era aperta a quell'ora, e in acqua sguazzavano un paio di befane con le cuffiette colorate in testa.

«Santo! Venga a farsi un tuffo con noi!» gridò una delle due agitando la mano.

«È una grande tentazione, ma sto cercando le chiavi della macchina.»

Entrai nello spogliatoio maschile, dipinto in varie gradazioni di azzurro con panche di legno e armadietti di metallo verde senza lucchetto. Non c'era nessuno. Scelsi un armadietto a caso e appiccicai la busta tra il fondo e il pavimento di piastrelle. Alla lunga qualcuno l'avrebbe trovata, ma intendevo lasciarcela giusto il tempo di farmi venire qualche idea migliore. Mentre mi rialzavo entrò un ragazzino con un tatuaggio tribale sulla spalla sinistra e un orecchino nel sopracciglio: l'avessi fatto io alla sua età, mio padre mi avrebbe marchiato con un ferro rovente. Il ragazzino mi salutò molto educato. Mi aveva visto armeggiare? Decisi di no.

Uscii sventolando le chiavi. «Trovate!»

«Che fortuna. Io non trovo mai niente di quello che perdo» disse la befana di prima. «Passi a trovarmi qualche volta e ci facciamo una bella chiacchierata.»

«Me lo segno sul computer.» Saltai in auto.

Il Palazzo di Giustizia di Milano è un mostro rettangolare costruito in epoca Duce, con finestroni scuri e pilastri grigi, che sembra pronto a divorare colpevoli e innocenti. Sul marciapiede a pochi passi dall'ingresso un piccolo gruppo di manifestanti faceva un presidio. LAVORATORI DEL CALL CENTER ALESIA, diceva lo striscione, PROVATE A CAMPARCI VOI CON 700 EURO AL MESE. Più o meno quanto avevo speso di taxi in quattro giorni. Nuovi lavori, vecchie fregature.

Valentina, come d'accordo, mi aspettava ai piedi della gradinata. Indossava un abito blu piuttosto formale. Mi condusse lungo i corridoi del tribunale – sembrava piuttosto un labirinto – guidata da un misterioso istinto che non le faceva smarrire la via. Prendemmo ascensori nascosti e scale che portavano a piani che parevano tutti uguali, pieni di anime in pena e facce di cazzo con la toga.

«A proposito» chiesi. «Precedenti?»

«Zero. Complimenti. Chissà come ci sei riuscito.»

«Una volta ero furbo.»

«Se ti è rimasto un briciolo di furbizia, racconta quello che sai.»

«Negativo.»

Il PM era un uomo sulla sessantina, con i capelli bianchi e l'aria vagamente scimmiesca. Con lui, nell'ufficio della procura che portava il suo nome sullo stipite, c'era uno sbirro in divisa che avrebbe verbalizzato al computer. Le prime domande furono banali: età, professione, mansioni svolte alla B&M. Mi chiese quali fossero i miei rapporti con Roveda e risposi pessimi, l'unica cosa vera che gli avrei raccontato da lì in avanti. Mi chiese di approfondire, inventai. Conoscevo ormai abbastanza bene l'argomento per essere credibile. Mi chiese quando avevo visto Roveda l'ultima volta, gli dissi durante la riunione.

«E in seguito vi siete incontrati di nuovo?»

«Non ce n'è stata più l'occasione» sospirai. «Purtroppo.»

«Nemmeno nella giornata di domenica?»

«No. Sono rimasto a casa.»

«Da solo?»

Valentina intervenne, facendo notare che a una persona informata dei fatti non si chiedeva, generalmente, di giustificare "un alibi". Si scambiarono un paio di battute salaci, e alla fine dovetti rispondere.

«Sì, da solo. Poi alle sette circa sono uscito per andare alla Scala.»

«Posso chiederle cosa ha fatto tutto il giorno?»

«Ho pregato.»

Al giudice sembrò fosse andata una banana di traverso.

«Il mio cliente è membro di un'associazione cattolica molto osservante» disse Valentina.

«Avvocato, gradirei sapere come mai un uomo così pio, la sera stessa, si sia fatto riaccompagnare a casa da una volante, per sua stessa ammissione nelle sommarie informazioni rese il giorno dopo agli agenti, talmente ubriaco da non poter camminare.»

«La carne è debole, signor giudice» dissi. «Una volta bevevo molto, e prego anche per stare lontano dalla bottiglia.»

«E il defunto dottor Roveda era a conoscenza di questa sua debolezza?»

Attento, terreno minato. «No. Mi capita davvero molto di rado. Grazie al Signore.»

«Capisco. È mai stato a casa del dottor Roveda?»

Non ne avevo idea, ma poteva essere accaduto. Magari avevano trovato un mio capello. «Sì, ma non recentemente.»

«Mi può specificare meglio l'ordine di tempo? Un mese, un anno?»

Tirai a caso. «Un paio di mesi, direi.»

Sperai non mi chiedesse di descriverla, perché sapevo solo che c'era una piscina. Non lo fece. «Dottor Denti, conosce un uomo chiamato Stefano Manzi?»

«Non mi pare.»

«È il titolare dell'agenzia investigativa Poirot, con sede a Milano.»

Ahia. «No.»

«Non si è mai rivolto a lui per questioni inerenti la sua vita privata o il suo lavoro?»

«È stato lui a dirvelo?»

«Risponda alla domanda, per favore.»

«No.»

«Dottor Denti, da alcuni controlli effettuati sul numero dell'agenzia Poirot e su quello del cellulare privato del Manzi, sono risultate alcune chiamate a un'utenza intestata a lei. Alla luce di quanto le sto dicendo, vuol cambiare la sua deposizione?»

Guardai Valentina, non muoveva un muscolo. «Non vedo cosa c'entri» balbettai. «È una questione privata.» La tirai un po' in lungo, cercando di apparire imbarazzato. Quando si raccontano palle, smettere a metà è sempre un errore. Si deve insistere e sperare. Lo feci. «È stato per la mia fidanzata, Monica Bonanno.»

Sentii distintamente Valentina deglutire.

«Lei ha chiesto i servigi dell'agenzia Poirot perché seguissero la sua fidanzata?»

«Ci dobbiamo sposare e... volevo essere sicuro della sua fedeltà. Sono geloso. Ogni volta che guarda un uomo mi immagino... mi immagino di ogni.» Poveraccia. «Una volta, in un bar, un tizio le ha attaccato bottone e da allora non ho più avuto pace. Mi vergogno tanto.»

«Lei ha prove di quanto asserisce: rapporti, fotografie?»

«No.»

«Normalmente gli investigatori privati mettono per iscritto i risultati del loro lavoro.»

Già. «Ho buttato via tutto. Non volevo rischiare che Monica mi scoprisse. I miei sospetti erano infondati, naturalmente.»

«Non ci interessa. Come è entrato in contatto con l'agenzia Poirot?»

«Con le Pagine Gialle. Mi piaceva il nome. Sa, Agatha Christie...»

«Così, per caso, lei affida a un perfetto sconosciuto un'indagine delicata sulla sua vita intima? Perché ha letto dei gialli?»

Mai letto uno in vita mia, il colpevole finisce sempre in galera. «Meglio uno sconosciuto che un conoscente per certe cose, le pare?»

«Non mi pare nulla. Risponda, gentilmente.»

«Sì, è così.»

«Lei non ha mai chiesto al signor Manzi di svolgere indagini sulla vita privata del defunto dottor Roveda?»

Doppio ahia. Codice rosso. «Il mio cliente ha già risposto» disse Valentina.

«Lo so, avvocato. Ma voglio risentirlo.»

«No. Perché avrei dovuto far spiare il mio capo? Non ha senso.»

«Il senso vedremo di trovarglielo.»

Ci provò a mettermi in un angolo, eccome se ci provò, ma io rimasi sulle mie posizioni per tre ore. Il

PM ci credette zero, e me lo fece capire a più riprese, ma non aveva niente in mano per inchiodarmi: o Spillo era ancora uccel di bosco, o non se l'era cantata. Non ne uscii indenne, però. Lo scimmione mi avvisò che da quel momento ero iscritto nel registro degli indagati, e mi consegnò un foglio intestato. (Impara: *informazione di garanzia*.)

La mia posizione era cambiata. Non ero più un testimone, ero un sospetto, anche se non si capiva bene per cosa. Da quel momento non avrei potuto andare all'estero. Lo sbirro che batteva il rapporto mi timbrò al volo la carta d'identità (impara: *non valida per l'espatrio*) e mi chiese di consegnare il passaporto (che non sapevo dove fosse).

«... ed è disposta una perquisizione dell'abitazione e della persona di Denti Santo da eseguirsi contestualmente...» dettò il PM.

Valentina protestò, ma non ci fu nulla da fare. Si scambiarono carte, firmai la mia deposizione in cinque copie, e aspettammo che gli sbirri venissero a prelevarci. Fui accompagnato all'auto scortato come Al Capone e, mentre uscivamo dal cortile del tribunale, un paparazzo ci scattò delle foto. Gli mostrai il medio: me lo sarei ritrovato il giorno dopo su tutti i giornali.

Si può assistere alla perquisizione di casa propria, ma non si può toccare nulla. Si può chiedere che non facciano troppo casino, ma tanto lo fanno ugualmente. Non ero tranquillissimo mentre una decina di sbirri ribaltava l'appartamento, perché proprio il tempo di guardare bene ovunque non l'avevo avuto. Sapevo solo che non c'erano bombe o tabulati, per il resto speravo di non avere sorprese. Guardarono con stupore il televisore sfondato, ma non ero tenuto a spiegare. Mi chiesero dove fosse il computer, spiegai che si era rotto e l'avevo buttato via. Dove? Sul marciapiede, cazzi dell'AMSA, andate a frugare in discarica. «Forse lo faremo» disse lo sbirro che dirigeva la perquisizione.

«Ditemi quando che vengo a godermi lo spettacolo.»

Trovarono la cassaforte con facilità, solo io non me ne ero mai accorto. La aprii, ormai esperto, mentre Valentina sbiancava. Proprio non si fidava.

Frugarono la cantina e l'auto, i vestiti nell'armadio e quelli che avevo addosso. Finirono intorno a mezzanotte e prima di salutarli, visto che era saltato fuori, consegnai il passaporto.

Mi abbandonai sul divano, sentivo ancora addosso le manacce degli sbirri. «Vuoi bere qualcosa?» chiesi alla mia avvocatessa.

«Sì.» Le versai un po' di cognac, senza ghiaccio, io ne presi una dose più forte. «Sei stato bravo. Soprattutto per la storia sulla tua fidanzata.»

«Non mi è venuto niente di meglio. Come sono arrivati alla Poirot?»

«Non lo so. Ma il titolare non deve aver ancora parlato di te, altrimenti non si sarebbero basati sulle telefonate.»

«Speriamo continui a tenere la bocca chiusa. Ci sentiamo domani?»

«Solo se ti arrestano.»

«Che allegria. Quante probabilità ci sono?»

«Direi cinquanta e cinquanta. E dopodomani settanta su cento. Racconta quello che sai.»

«Mi garantisci che starò fuori di galera?»

«Se non potevo prima, figurati adesso.»

«Allora non è il caso.»

Aspettai che uscisse, mi feci un altro bicchiere, poi andai a recuperare la busta nella piscina vuota, che aprii con la mia chiave: ce l'avevo davvero. Mezz'ora dopo, unico bianco in una rivendita di telefonate a pochi passi da casa mia, chiamai i numeri circolettati di rosso sul tabulato di Roveda. Al secondo tentativo, un uomo mi rispose.

Sesto giorno

1

La mattina il traffico di Milano è una melassa dove annegano automobilisti ingrugnati e file infinite di tram bloccati. Mi ci mossi a passo d'uomo per un'oretta, girando a caso e bruciando semafori con l'occhio fisso allo specchietto retrovisore. Solo quando fui certo di non aver nessuno attaccato infilai l'autostrada. Ero ben vestito, portavo la cravatta, mi ero fatto la barba e avevo tolto le mosche morte dal parabrezza. Sorridevo. Cercavo di sembrare un uomo d'affari in viaggio di lavoro e non un criminale in fuga, perché su questo si sarebbe giocata la mia possibilità di superare la frontiera con la Svizzera. Sarebbe bastato un controllo occasionale per rispedirmi indietro e a quel punto, immaginavo, il PM non si sarebbe limitato a sequestrarmi il passaporto. Sperai che i doganieri non avessero letto i quotidiani. Io l'avevo fatto prima di mettermi in viaggio: la mia avvocatessa non si era sbagliata sulle mie possibilità di rimanere libero a lungo. La mia foto con il famoso dito alzato, davvero una pessima idea, era sulle pagine di nera di tutti i quotidiani, e negli articoli erano riportati lunghi stralci del mio interrogatorio, manco avessi rilasciato un'intervista in mondovisione. Dovevo andarmi a cercare su Internet la voce "segreto istruttorio", forse l'avevano abolito.

Sapendo quello che avevo detto al giudice, i giornalisti si erano sbizzarriti. I più gentili mi descrivevano come un manager in disgrazia con il vizio dell'alcol e una gelosia patologica per la figlia del padrone (lei non aveva gradito e mi aveva telefonato piangendo: come hai potuto, cane, porco... *sigh sigh*. Pausa. Voce mielosa: ma davvero sei geloso?). Gli altri, invece, ritenevano che la balla della fidanzata fosse effettivamente una balla, e che mi fossi rivolto a Spillo per ben altri motivi. Gli sbirri sapevano dei tabulati di Roveda ed ero fuori di galera solo perché, con Spillo (fortunatamente) ancora latitante, era impossibile capire a chi li avesse passati. La lista dei suoi clienti era lunga come l'elenco dei miei peccati, e i tabulati che si era comprato e rivenduto durante la sua carriera di ficcanaso erano un migliaio: quelli di manager come Roveda, ma anche calciatori, politici e giudici. Sarebbe andato avanti per un pezzo, se la Polizia postale non avesse sgamato il suo complice, un impiegato della sicurezza Telecom che entrava e usciva dai computer della compagnia a suo piacimento e aveva rivenduto le informazioni a metà degli investigatori privati d'Italia. Che, adesso, stavano finendo nei casini. Spillo in testa. Per quello andava di fretta il giorno che ci eravamo incontrati, non per la morte di Roveda: era stata resa pubblica in serata e non poteva saperlo.

La Beagle & Manetti, nella sporca fazenda, ci faceva una figura quasi peggiore della mia. Un articolo simpatico intitolato "Il covo di vipere", metteva in fila i problemi dell'ex quasi fallito Bonanno con i soci, l'allegra vita privata di Roveda, il mio alcolismo, i tabulati e le rivelazioni di un anonimo dipendente: *qui non si capisce più niente*, diceva, concludendo che c'era da stupirsi se i cadaveri non si contavano a decine lungo i corridoi dell'agenzia. Alcuni importanti clienti della B&M, tra cui Ustoni, stavano meditando di annullare i contratti: raggiunto nella sua fabbrica emiliana, aveva urlato «commenti irriferibili» in direzione dei giornalisti, brandendo un cotechino. Alla fine, però, nonostante gli stracci che volavano, sull'omicidio gli sbirri non avevano fatto molti passi avanti. L'unica certezza era che Roveda era morto annegato e con un occhio scoppiato, ma l'acqua clorata della piscina aveva reso impossibile il reperimento di tracce utili alle indagini (impara: RIS. Impara: *esame del DNA*. Impara: *CSI*).

Non c'erano testimoni, Roveda non aveva ricevuto telefonate prima dell'omicidio, non c'erano bigliettini compromettenti o scritte sui muri tracciate con il sangue. Roveda aveva aperto al suo assassino, gli aveva offerto da bere, ma il bicchiere utilizzato era stato ripulito dalle impronte, così come i braccioli della sedia su cui l'assassino si era probabilmente seduto. Aveva anche lavato il bordo della piscina con la canna dell'acqua e un cameriere, arrivato la sera per preparare la cena, aveva contribuito a fare casino camminando in giro prima di scoprire il suo padrone in ammollo. Si era anche tuffato in piscina per capire se Roveda fosse ancora vivo, un po' difficile visto che galleggiava a faccia in giù, e solo perché il cadavere era troppo pesante non l'aveva trascinato sul bordo.

Le abitudini notturne di Roveda, che dragava i locali in cerca di giovani maschi (impara: *scambisti*. Impara: *club privé*), apriva agli sbirri anche la pista del delitto nell'"ambiente gay". Un amante geloso, un *puttano* non pagato, robe del genere. Roveda era di gusti difficili, ma gli piaceva variare spesso, e questo rendeva le indagini piuttosto complicate. Il PM, prima di me, aveva torchiato almeno una ventina di quelli che si erano dati da fare con Roveda e, a quanto leggevo, era appena agli inizi. Saltavano fuori anche strani conti alle Cayman, su cui la Finanza stava cercando di affondare i denti. Roveda guadagnava molto più di quello che dichiarava al fisco, ma i soldi non arrivavano dalla B&M.

L'assassino non aveva rubato niente. Dopo l'omicidio si era allontanato richiudendosi la porta alle spalle (niente impronte sulla maniglia) con tanti saluti. Gli sbirri ipotizzavano fosse arrivato con la sua automobile, ma le tracce di pneumatici nel cortile e nelle adiacenze della villa, costruita sulla collina di Sant'Ilario (zona fighissima), erano troppe per risalire al veicolo. Fuori dal giro dei marchettari, il candidato più gettonato rimanevo io. Come un giornalista ammetteva, però, "la perquisizione effettuata aveva dato esito negativo". E vaffanculo.

Arrivai alla frontiera dopo un'ora e mezzo di viaggio, nel rispetto rigoroso dei limiti di velocità, cercando di non guardare gli spaventosi cartelli elettronici che elencavano i morti per colpi di sonno e ubriachezza (impara: *patente a punti*. Impara: *è vietato guidare parlando al cellulare*).

Una lunga fila di automobili avanzava lentamente davanti ai gabbiotti della polizia italiana. Mi misi in fila, tenni il sorriso fisso, un poliziotto agitò la paletta e mi venne un colpo. Ma era per chi mi precedeva, che accostò. Io lo superai. Frontiera svizzera, il doganiere mi fece un cenno della mano perché avanzassi senza nemmeno alzare gli occhi. Fase uno terminata, forse al ritorno avrei potuto portarmi un paio di stecche di sigarette.

Che fosse la Svizzera si capiva solo dalle indicazioni con i nomi esotici, per il resto il panorama attorno era da bassa Lombardia. Non avevo il bollo dell'autostrada (i cartelli avvisavano che era obbligatorio) e proseguii lungo le statali fino a Lugano, poi chiesi indicazioni a un passante. Non ero mai stato da quelle parti, ma la città era esattamente come me l'ero immaginata: pulitina, ordinatina, con tante belle casettine; non aveva l'aria del posto dove ci si desse alla pazza gioia. Faceva leggermente più caldo che a Milano, forse per il lago che costeggiai prima di parcheggiare a qualche centinaio di metri da piazza della Riforma, la stessa che avevo scorto nelle fotografie della mia cassaforte: quadrata e lastricata di porfido.

Da un lato sorgeva il palazzo del Comune, con la sede degli sbirri (ahi), dall'altro banche dalla facciata pretenziosa e bar eleganti, al centro un enorme albero di Natale con le luminarie: il lago, coperto di foschia, faceva da sfondo. Mi avvicinai al bar Vanini, con i tavolini e le seggioline bianche rinchiuse in un gazebo riscaldato. A uno dei tavolini sedeva il pelato che si era stretto la mano con Roveda. Guardava nel vuoto, davanti a una tazza di porcellana, con l'espressione neutra. Mi sembrò più vecchio di come lo avevo giudicato dalle immagini, uno di quegli uomini la cui vera età è difficile da calcolare. Piccole rughe attorno agli occhi chiari, labbra sottili. Indossava un completo grigio con panciotto e una cravatta di una tonalità leggermente più scura. Quando mi sedetti di fronte a lui, non mosse un muscolo: si limitò a mettermi a fuoco.

«Non era previsto che io e lei ci incontrassimo» disse. Parlava un italiano perfetto, senza il minimo accento o inflessione dialettale. Per questo intuii che non fosse la sua lingua madre.

«Ne avrei fatto a meno.»

Annuì. «Vede quell'uomo al tavolino dietro di me?» Guardai. Era un tizio biondo sui trenta, con due spalle così. «Vada da lui e faccia quello che le chiede.»

«Che gioco è?»

«Si chiama sicurezza.» Sorrise. «Dovrebbe apprezzarlo.»

«Neanche un caffè, prima?»

«Purtroppo no.»

Mi alzai e il biondo si alzò con me. Mi fece cenno di seguirlo all'interno del locale lungo e stretto, dove un bancone esponeva paste e torte sottovetro. Il biondo proseguì sino al bagno e aprì la porta di un cesso. «Dentro, per favore» disse. Lui l'accento ce l'aveva, tedesco o svizzero, non seppi giudicarlo. Entrai nello stanzino, e il biondo mi venne dietro, chiudendo la porta.

«Guarda, bello, che non ho i gusti di Roveda.»

«Alzi le mani, per favore» disse. Lo feci e mi perquisì con tocchi rapidi e leggeri. Mi tolse il cellulare.

«È spento» dissi.

Lui se lo infilò in tasca, estrasse un apparecchio grande come un pacchetto di sigarette e me lo passò lungo il corpo. L'apparecchio emetteva un leggero ronzio che variava di intensità mentre lo muoveva.

«Può riabbassare le mani, grazie. Prego, mi segua.»

Tornammo fuori, lui andò al suo tavolino e io mi sedetti di nuovo davanti al pelato. C'era una seconda tazza sul tavolo e una fetta di torta al cioccolato ricoperta di panna.

«Per lei» disse. «Mi sembrava affamato. Qui fanno un'ottima Sacher, anche se, naturalmente, non è paragonabile a quella del Demel di Vienna.»

«Piaceva anche a Roveda?» Il caffè era lungo come un brodo, ma ne avevo voglia sin da quando mi ero svegliato. Gli sbirri avevano ribaltato la cucina a tal punto che mi era stato impossibile rimettere insieme la caffettiera. Avevano portato via coltelli, cucchiai e tutti gli oggetti appuntiti della casa, lapis compresi. Cercavano l'arma del delitto, che dai giornali avevo scoperto non essere stata trovata nella villa.

La torta, comunque, non era male, anche se non capivo perché ci fosse la marmellata dentro. Cioccolato e marmellata, proprio roba da crucchi.

«Purtroppo no» rispose il pelato. «Era diabetico.»

Sul fondo, vedevo il biondo che smontava il mio cellulare con mosse abili. «Che se ne fa coso del mio telefonino?» chiesi.

«Lo controlla. Si possono ascoltare le conversazioni ambientali da un cellulare anche quando è spento, anche senza batteria in alcuni casi. La prossima volta che avrà un incontro riservato, lo lasci a casa.»

«Sicurezza totale.»

Bevve un sorso dalla sua tazza. «Non si può mai essere completamente al sicuro, ma solo ragionevolmente.» Indicò il vetro del gazebo. «Con un raggio laser, è possibile convertire le vibrazioni del vetro in suoni, per esempio. Ma il passaggio delle auto e il rumore di fondo del locale danno una *ragionevole* certezza che questo non avvenga. Oppure potrebbero aver inserito delle cimici nella sua tazza. Ma conosco il barista e sono *ragionevolmente* sicuro che ha a cuore la privacy dei suoi clienti. Cosa posso fare per lei?»

«Spiegarmi che affari aveva con Roveda.»

«Perché?»

«Perché agli sbirri non ho parlato di lei. Per ora.»

«Se le fosse di una qualche convenienza lo farebbe, anche se non ho nulla da temere dalle indagini. Sono solo un volto anonimo su una fotografia.» Lo sapeva, quindi. «Diciamo che lo considererò uno scambio di favori. Chieda.»

«Roveda comprava o vendeva?»

Strinse gli occhi. «Dal primo istante in cui ci siamo incontrati, ho notato qualcosa di strano in lei. Non si muove come potrei aspettarmi da un uomo della sua età, e le parole che usa non sono in tono con il suo supposto livello culturale. E adesso mi chiede cose che dovrebbe già sapere. È reduce da un incidente, o da una malattia?»

«Un incidente.»

«Ah. Capisco. Roveda vendeva.»

«Cosa?»

«Informazioni.»

«Roveda lavorava in un'agenzia pubblicitaria. Non era un agente segreto. Che informazioni poteva avere che valessero qualcosa?»

Unì le punte delle dita. «Il suo incidente ha a che fare con la memoria a lungo termine?»

«Sì.»

«Disorientato, smemorato, sospettato di omicidio. Ma non disperato. Non ancora... Essere il dirigente di un'agenzia pubblicitaria significa entrare in possesso di dati sensibili su ciò che i clienti hanno intenzione di immettere sul mercato. Il sapore di una bibita, le funzioni di un telefono cellulare o di un televisore, il loro prezzo, le strategie di vendita. O il loro nuovo brand o packaging, spesso l'unica vera differenza o ragione di successo. Qual è la sua età soggettiva, dottor Denti?»

«Ventotto anni. Più o meno.»

«Il medioevo tecnologico.» Fece segno a un cameriere che accorse a levargli la tazza vuota. «Naturalmente, ci sono altri generi di informazioni che possono essere preziose. Le agenzie sono sempre in competizione tra loro, alcuni appalti vengono assegnati per concorso dalle grandi imprese. Sapere che cosa ha intenzione di offrire il tuo competitor può far vincere la gara. Ma Roveda su questo era molto cauto. Non voleva danneggiare l'agenzia per cui lavorava. Non troppo, perlomeno.»

«Roveda bloccò un progetto per la pubblicità sui cellulari.»

«Un mio cliente annuncerà tra breve una joint venture con una nota compagnia telefonica. Nel pacchetto è previsto un accordo per l'invio di SMS pubblicitari secondo la stessa logica del progetto da lei patrocinato.»

«Non volevano concorrenti.»

«I miei clienti stanno investendo nelle azioni delle due compagnie coinvolte nella joint venture. Qualsiasi interferenza poteva sminuire il valore dell'operazione.»

«Lei sapeva che io avevo scoperto Roveda.»

«Certamente. Ma Roveda mi aveva assicurato di aver provveduto perché lei non fosse un problema.»

«Le ha spiegato come?»

«Non mi riguardava. Teme di aver ucciso Roveda e di non ricordarselo?»

«No.»

«Ah, la prima menzogna della giornata. Ma la perdono.»

«È stato lei?»

«L'omicidio non è il mio campo.»

Apparve il biondo e mi riconsegnò il cellulare. Era ancora spento, ma sembrava come nuovo. «Temo di doverla lasciare, ora.»

«Sa chi è stato?»

Si alzò. «Come trova questo mondo, dottor Denti?»

«Una merda. Una merda collegata a Internet.»

Sembrò rifletterci. «Dottor Denti, se lei prende due coltelli e li appoggia punta contro punta, con estrema precisione, e li spinge con forza omogenea l'uno verso l'altro, le forze si annulleranno reciprocamente e i coltelli rimarranno immobili. Ma se le forze mutano anche solo per una frazione di secondo, perché qualcuno, o qualcosa, dà un colpetto…» mimò il gesto con l'indice «le lame scivoleranno tagliandole le mani. Lei e Roveda eravate in un equilibrio perfetto. Lei non poteva, o non voleva nuocergli, e Roveda si trovava nella stessa sua posizione. Qualcosa ha spezzato l'equilibrio, e Roveda è morto.»

«Può essere stata una coincidenza.»

«Non esistono le coincidenze, solo nessi non ancora compresi. Scopra cosa, o chi, ha dato quel colpetto alle lame, e avrà le risposte che cerca. E mi auguro siano di suo gradimento.» Il biondo gli mise un cappotto grigio sulle spalle. «Se cercherà di contattarmi nuovamente, scoprirà che i numeri non sono più attivi. Mi farò sentire, se supererà questa prova.»

Rimasi seduto a finire la mia fetta di torta, anche se quel pesce surgelato in forma umana mi aveva fatto passare completamente la fame.

Come era riuscito Roveda a tenere buono il pubblicitario? La risposta arrivò insieme al secondo caffè brodoso: con Salima. Le foto. Ai vecchi tempi le avrei fatte vedere agli amici, ma per il pubblicitario rappresentavano un problema grosso. Il padre di Monica non avrebbe gradito uno scandalo in famiglia, per non parlare del giro delle Pecorelle. Il pubblicitario si era ripulito la facciata, si era ripulito da *me*, cazzo, e rischiava di dover ricominciare da capo. Se Roveda avesse dovuto dimettersi, il pubblicitario lo avrebbe seguito a ruota e avrebbe perso le sue entrature nel bel mondo e la fidanzata ricca.

Ma per farlo mettere sotto sorveglianza, significava che Roveda aveva sgamato quello che si preparava ai suoi danni. E come? Il pubblicitario era un fesso, ma così fesso da farsi trovare con le mani nella marmellata mi sembrava un po' troppo. Senza contare i soldi spariti, un altro pezzo che non riuscivo a collocare. A Roveda, ricco com'era, non potevano interessare. Spillo era venuto a pelarmi diecimila euro prima di scappare, e se si era già preso il resto non aveva senso.

Quando uscii dal bar ero ancora più confuso e incazzato di prima. Ogni scatola che aprivo, ci trovavo dentro un'altra scatola. E non riuscivo mai a mettere le mani sull'ultima, quella con la chiave di tutto. Con Spillo, però, avrei fatto volentieri ancora due chiacchiere, perché a parte il pubblicitario e il padre di Monica era probabilmente (un *probabilmente* grande come una casa) l'unico che sapeva dell'ambaradan. Il giorno che l'avevo incontrato mi aveva detto che potevo rintracciarlo attraverso "Esposito". Era un nome che non mi era nuovo, ed ero sicuro che non venisse dal mio passato remoto, ma non avevo quel nome in rubrica e a Milano dovevano essere qualche migliaio. Spulciarli uno a uno con le Pagine Bianche mi pareva uno sforzo inumano: gli sbirri mi avrebbero trovato al computer, coperto di ragnatele, quando sarebbero venuti ad arrestarmi.

Erano le undici e avevo parecchio tempo davanti a me prima di poter passare di nuovo la frontiera. Volevo farlo quando ci fosse stato il rientro dei frontalieri, per mescolarmi nel gruppo, che immaginavo dalle sei del pomeriggio in poi. Mi guardai la città, bel posto da pensionati, meditando se chiedere asilo politico. In via Nassa, pareva un centro commerciale di lusso a cielo aperto, mi fermai davanti a una vetrina ad alta tecnologia. C'era esposto l'aggeggio bianco che avevo visto penzolare dalle orecchie di un mare di persone (impara: *iPod*. Impara: MP3. Impara: *fino a diecimila canzoni sempre con te*). L'idea di stordirmi di musica mi sembrò attraente, ma la commessa mi deluse.

«Le canzoni deve mettercele lei» disse. «Collegandolo al computer.»

«Non ce l'ho più, il computer.»

«Ah…» S'illuminò. «Aspetti, forse me ne è rimasto uno di quelli degli U2. Gli abbiamo caricato l'ultimo album, come bonus.»

«Sono ancora famosi?»

«Eccome. Ma è nero, va bene lo stesso?»

«In tinta con la giacca.»

Me lo portò. Sul retro in metallo lucidato portava incise le firme dei membri della band, che roba. Provai ad accenderlo, ma apparve il simbolo della batteria scarica. La commessa mi vendette un caricatore da collegare all'accendino dell'auto.

«Conservi lo scontrino, per la frontiera. In caso di controlli deve averlo con sé.»

Stavo per dirle che, in caso di controlli, lo scontrino era l'ultimo dei miei problemi, quando mi bloccai con la bocca aperta. *Lo scontrino!* Mentre la commessa mi fissava, educatamente stupita, vuotai il portafoglio sul bancone: Dio delle Pecorelle, fai che non l'abbia buttato via, fai che non l'abbia... C'era, arrotolato sotto una carta di credito: *caffè 0,80,* il primo giorno avevo letto quello scontrino e avevo capito che le lire non esistevano più. La data era illeggibile, ma l'intestazione si vedeva ancora. *Bar di Giovanni Esposito SNC, corso di Porta Ticinese 83.* Esposito. Ecco perché il pubblicitario non si era segnato il nome da nessuna parte. Conosceva quel posto, lo conosceva da vent'anni.

Era il bar di Oreste.

2

Alla frontiera mi fermarono le guardie svizzere. Il bollo e l'assicurazione dell'auto erano a posto, ma il timbro sulla carta d'identità li impensierì. «Con questa non poteva entrare» disse lo sbirro.

«Ho lasciato a casa il passaporto, me ne sono accorto adesso.» Gli feci il sorriso marca Trafficante, dovetti sembrargli abbastanza innocuo da indurlo a non farmi eccessive menate. Stavo rientrando, no? Controllò qualcosa al computer, scoprì che non c'erano segnalazioni su di me (niente mandato di cattura, per adesso), e mi chiese: «Ha acquistato marijuana?».

«Eh?» Ero sinceramente stupito.

«Non mi dica che non sa che da noi si vende, in alcuni cantoni perlomeno.»

«Come in Olanda?»

«Non proprio» disse mentre faceva annusare la mia auto da un cane lupo. «Si può comprare e vendere, nei negozi autorizzati, ma è vietato assumerla o fumarla.»

«E cosa bisognerebbe farsene?»

«Non lo chieda a me, ma sui sacchetti che sequestriamo c'è scritto: profumabiancheria.» Chiuse il bagagliaio. «Fa ridere, vero?»

«Abbastanza.»

«Mi creda, metà dei ragazzi che vediamo passare la frontiera nei weekend lo fa per quello. Ma se dovessimo fermarli tutti, ci sarebbe la coda da qui fino a Ginevra.» Chiuse il bagagliaio. «A posto.»

Pensai che mi stesse prendendo per il culo, ma in seguito scoprii che mi aveva raccontato la verità. La legge è cambiata e i canapai svizzeri hanno dovuto chiudere, rattristando un esercito di consumatori e rallegrando i pusher.

Qualcosa di utile, però, il controllo alla frontiera lo aveva portato. Mi era servito per scoprire che l'auto non era intestata a me, ma a Monica Bonanno. Avrei dovuto immaginare che era troppo lussuosa per il pubblicitario, valeva probabilmente più di tutti i soldi che *una volta* aveva in banca. Mi sa che la fidanzata gli pagava anche le vacanze.

A Milano arrivai alle nove e mi precipitai da Oreste. Non entrai di gran carriera come avevo pensato, perché davanti alle vetrine del locale erano parcheggiate due volanti. Preferii farmi un giro all'umido ascoltando *How to Dismantle an Atomic Bomb* sul *mio* iPod (che si sentiva meglio di qualsiasi walkman) finché gli sbirri, mezz'ora dopo, non sbucarono dal portone a fianco. Oreste era con loro, ma non se lo stavano portando via. Lo salutarono, lui rimase sulla porta e li guardò allontanarsi scuotendo la testa. Era proprio come l'avevo visto nel sogno che avevo fatto cadendo dalle scale al centro islamico, perché non era un sogno, ma uno dei tanti ricordi del pubblicitario che riaffioravano: un omone come ai tempi, ma con molti meno capelli e i baffi completamente bianchi.

Il bar, invece, era quello di quattordici anni prima:

lo stesso bancone con le uova sode sottovetro e le fette di torta in plastica, le pale sudice sul soffitto, l'odore di birra rancida. Persino i tavolini erano gli stessi di quando avevo conosciuto Max, quel bastardo di Max, quell'infame di Max, e disposti allo stesso modo, talmente stretti che era impossibile non prendere a gomitate chi si sedeva dietro di te. A servire c'era la moglie di Oreste, diventata una balena con i capelli tinti. Sembrava avesse pianto da poco. Clienti pochini. Una coppietta di arabi vestiti da metallari, e un tizio senza denti che succhiava una polpetta senza riuscire a inghiottirla. Nel sogno l'accoglienza di Oreste era stata festosa, nella realtà lo fu molto meno.

«*Te l' chi*» disse. Sembrava esausto. Agli altri. «Gente! Tra dieci minuti si chiude baracca!»

«Così presto?» protestò il giovanotto arabo. «Non sono neanche le undici.»

«Ce n'ho già avuto abbastanza per stasera, e non è che con voi divento ricco.» A me. «Se vuoi bere, bevi in piedi, Trafficante.»

«Se tratti sempre così i tuoi clienti, poi non ti lamentare se ne hai pochi. Dammi un cognac, va.»

«Non ce l'ho. Se vuoi l'Oropilla, se no *nagota*.»

«Una birra?»

«Ecco. Prendi una roba semplice che non mi fai far fatica.» Tirò fuori una bottiglia di Stella Artois dal frigo e la stappò con il pollice.

Ne bevvi un sorso a canna: calda. «Dobbiamo parlare, Oreste.»

Mi fissò. «In *curt*.» Poi al tipo della polpetta. «*Se fuma no!* Quante volte te lo devo dire?»

Nel cortile del retro c'era giusto lo spazio per due pattumiere e un gatto che ci rovistava. Mi sedetti sul gradino e accesi una sigaretta. Oreste si asciugava le mani nel grembiule. «Qui si può?»

«Non mi prendere per il culo.»

«Ma ti chiami Giovanni Esposito?»

«Embè?»

«Ti chiamano tutti Oreste.»

Si accese un avanzo di toscano pescandolo dal taschino. «Quando ho comprato il bar, nel '76, si chiamava già Da Oreste. Non volevo scontentare i clienti. C'ho provato all'inizio a spiegare, ma non fregava a nessuno. È successo anche a quello che veniva a vendermi la mozzarella dei toast. Lodovico era la marca e Lodovico chiamavano lui, perché ce l'aveva scritto sulla macchina. Glielo hanno messo anche sul necrologio. Pinco Pallino detto Lodovico. Mo' mi dici che succede?»

«Devo parlare con Manzi.»

Ero pronto a un'espressione stupita, che avrebbe significato per me tornare a cercare, ma Oreste scosse la testa. «L'hai mancato di poco. Hai visto la *madama* qui fuori, prima? Lo hanno appena menato via. Ma te pensa se uno deve venire a nascondersi a casa della sorella, se c'ha la madama attaccata al *cü*. Deve essere bacato, dico io. E mica mi aveva detto niente, no. Sto un po' da voi, ho gli imbianchini in casa. Gli imbianchini, che gli venisse un canchero.»

«Manzi è tuo cognato?»

«Cos'hai, le pigne in testa? Te l'avevo detto quando ti ho dato il numero. Cosa gli è venuto in mente di fare il *detective* io proprio non lo so. Ha fatto il *bagatt* tutta la vita, ma a un certo punto si è messo in testa che voleva cambiare mestiere.»

«Il *bagatt*?»

«Il ciabattino, non lo sai il milanese?»

«Mi stupisce che lo sai tu. Esposito è un cognome di giù.»

«Oh, bella gioia, io sono nato alla Magolfa» che è una zona a due passi dal bar. Non si era spostato molto Oreste nella sua vita. «Mio cognato fino a tre anni fa aveva un negozio in Porta Genova, *Ciabattino Lampo*. Gli ho detto, ma vai avanti così che è un mestiere pulito, ma lui niente. Non so neanche come hanno fatto a dargli la licenza, vai a sapere.» Oreste strinse gli occhi. «Te, ma gli assegni sono coperti?»

«Ce li hai tu?»

«Eh, già.»

Persone che non c'entrano con lei, e molto discrete, aveva detto Spillo. Certo che il pubblicitario non ne azzeccava una. Pensavo che Spillo avesse le mani da killer, invece se le era rovinate sulle tomaie. Ma il pubblicitario era fuori dal giro da una vita, e Oreste gli era sembrata una scelta logica: conosceva tutti e non faceva la spia. Peccato avesse un cognato.

«Aspetta la fine del mese, è meglio.»

«Ti pareva. Possiamo tornare dentro, adesso? La birra ce la metto io, ma non ti ci abituare.»

«Grazie.»

Rientrammo. Era rimasto solo il tipo della polpetta. L'aveva posata ancora intera sul tavolino. Probabilmente Oreste l'avrebbe rimessa in vetrina.

«Gente, si chiude!» urlò.

«Ciao, Oreste. Non ci rivedremo tanto presto, mi sa.»

«Spero sia per colpa tua. Scusa, eh, ma la sfiga è meglio mollarla subito.»

Il tizio della polpetta mi afferrò il cappotto con un artiglio. «Ma tu sei Trafficante?» biascicò.

«Mai sentito.»

Liberai il cappotto, ma lui me lo afferrò di nuovo. «Non mi riconosci? Sono Alfredo.»

«Sai cosa mi frega?»

«Dài, che venivi sempre da me! Alfredo!» Aprì la bocca mostrando le gengive vuote. «Ho cambiato un po' faccia per via dei denti...»

Stavolta lo guardai con più attenzione. Fu una vertigine ancora più forte di quella provata incontrando Ines. Lei era sempre stata una sfigata, ma Alfredo, avvolto nella sua vestaglia con i draghi cinesi e con la casa piena di luci e suoni... Cercai di fare andare all'indietro la pellicola con il suo volto, riempiendo le guance cascanti, ridando colore alla pelle giallastra, rimettendogli dei capelli neri e ricci dove ora spuntavano quattro peli in croce, restituendo lucentezza agli occhi, e il giochetto mi riuscì per qualche istante prima di infrangersi contro la realtà di quell'uomo miserabile. Al suo confronto, io ero un fiore.

E me lo disse. «Stai proprio bene, Trafficante. Ma guarda che roba. Sei sempre tostissimo. Dài, andiamo a bere da un'altra parte che ci facciamo due chiacchiere. Dài...»

Accettai, ancora un po' scombussolato. Gli amici del pubblicitario sembravano avere una scopa su per il culo, i miei erano massacrati dalla vita. Sentivo il bisogno di una terza via.

Oltre che puzzolente e incasinata, Milano era diventata tristanzuola. Le vecchie osterie non avevano cambiato nome, ma adesso sembravano dei ristoranti d'albergo. Per trovare un posto decente scarpinammo venti minuti e finimmo al Parrot, un localino senza vetrine in una traversa dei Navigli. Era un battonificio, ma perlomeno non sembrava scolpito nella plastica.

«Oh, ci facciamo un colpo?» chiese Alfredo prima di entrare.

«Ne hai?»

«Eh, non è mica più come prima. Ma so dove comprarla. Li vedi quei tipi in auto?» C'era una macchina parcheggiata con quattro africani a bordo. «Loro ce l'hanno. Li conosco. Ce l'hai un cinquanta?»

Gli allungai un biglietto che quasi mi strappò di mano, e corse verso l'auto. Lo vidi contrattare attraverso il finestrino, poi tornò saltellando sulle gambette secche.

Ci facemmo il grammo scarso e tagliato male sul cofano di un'auto. Mi fregava zero se mi vedeva qualcuno, messo com'ero messo, e ad Alfredo importava anche meno. La coca aveva un sapore pessimo, e mi si formò in gola un bolo di polvere e catarro. Ma quel poco di principio attivo che c'era entrò in circolo e mi distese i nervi, facendomi sentire un po' meno spaventato. Quando entrammo nel locale ero di umore splendente. Un chitarrista su una minuscola pedana suonava i Gipsy Kings, e due puttane brasiliane ballavano con un paio di sfigati ciucchi traditi.

Ci mettemmo al tavolino più distante dall'amplificazione, cacciammo una tipa che si voleva sedere sulle mie ginocchia e prendemmo un paio di cocktail coperti di fette di ananas e ombrellini. Se toglievi quello e il ghiaccio rimaneva talmente poco che li finimmo in due sorsi. Ne ordinammo un altro. Sembrava che per Alfredo fosse la prima serata decente da un fracco di tempo, e a pensarci valeva lo stesso anche per me. Per la prima volta mi sentivo in sintonia con un altro essere umano. Era il solito trucchetto della coca, ma me la godevo lo stesso.

Schioccando le dita a ritmo con la musica, Alfredo mi raccontò la sua vita. Aveva continuato per un po' a gestire i suoi traffici poi, circa un anno dopo il nostro ultimo incontro, aveva ricevuto una visita dell'antimafia.

«Perché l'antimafia?»

«Dicevano che lavoravo con quelli di Caserta, il clan Schiavone, quelli di Sandokan, solo che lui se lo sono bevuto sei anni dopo. Io gli ho detto che non ne sapevo un cazzo, che non mi ero mai affiliato a nessuna famiglia, ero solo un uomo d'affari. Business. Dite che sono uno spacciatore, ok, ci posso anche stare, ma un camorrista? No. Non sono mica cazzi miei che cosa fa chi me la vende. O dove la prende.» Fece segno al cameriere di portargli il tris. «Certo che secca la gola, eh, 'sta merda che gira adesso.»

«Di brutto.»

«Adesso la maggior parte della movida a Milano la gestiscono i calabresi, e usano i negri per vendere. Ma che cazzo di paese, un italiano non può più lavorare perché ci sono 'sti africani di merda, e gli albanesi, e i russi e i cinesi. Ma ti rendi conto che fino a qualche anno fa al massimo vendevano le sigarette di contrabbando? E adesso si allargano, senza rispetto per nessuno. E le sigarette di contrabbando non ci sono più. Cosa stavo dicendo?»

«Che ti hanno arrestato.»

«Ah, sì. Gliel'ho spiegato al giudice che non ne sapevo niente di guerre tra *paranze*, ma c'era un infame, lì in mezzo, che diceva di sapere tutto di tutti. Che aveva tenuto la contabilità di quello che avevo comprato, come e quando. Sai che non me l'hanno mai fatto incontrare? Mai. Anche al processo non è venuto. Parlava solo al telefono, e non si capiva neanche la voce, era...

cosata, lì, alterata. Io me ne sono stato abbottonato, ho detto che quello che avevano trovato era per uso personale. E il giudice: ah, lei dice che mezzo chilo di cocaina, mille pastiglie di LSD e un etto di amfetamina erano per uso personale? E io: sono uno con molti vizi, vostro onore. E non era LSD, era ecstasy, si documenti!» Rise. «Potevano anche smontarmi la casa e l'hanno fatto, cazzo mi hanno spaccato i flipper che erano antichi e valevano un botto, e se li sarebbero presi come si sono presi il resto, ma non hanno mai trovato un pezzo di carta con quello che davo e a chi lo davo. Mica sono un ciddone. Però in primo grado mi hanno dato associazione e traffico internazionale. In appello ho avuto la pena ridotta perché mi hanno tolto l'associazione. Mi sono bevuto otto anni a *bottega* e ho fatto un po' da semilibero. Da due anni sono a posto.»

«E come te la sfanghi?»

«Mica tanto bene. Ho la pensione di invalidità e vivo con mia sorella. Però, Trafficante, se mi danno una possibilità la prendo al volo. Che mi frega? Ho qualcosa da perderci? No. Hai mica niente per me? Perché vedo che ti gira.»

«Mi sono ritirato, Alfredo.»

«Me lo immaginavo. Hai fatto bene. Non ne vale più la pena. Qualche giorno mi prendo un tubo di dinamite ed entro in banca. Se mi danno i soldi bene, altrimenti mi faccio saltare io e tutti i bastardi che mi stanno attorno.» Le puttane avevano smesso di ballare e cercavano di portarsi fuori i due sbronzi. Uno dei due sembrava poco intenzionato, ma l'altro era già cotto e mangiato.

La domanda mi bruciava dentro. Mi dissi: *Trafficante, hai altri guai, lascia perdere.* Ma dopo averci gira-

to attorno ancora un po', non riuscii a trattenermi.
«Senti, Alfredo, Max lo hai più visto?»

«Al Due.» Il Due è San Vittore, per il numero civico
«L'avevano arrestato?»

«Non lo sai? Ah, già, girava voce che eravate in
scazzo.»

«Litigato non è la parola giusta. Va' avanti.»

«Si era bevuto il cervello, sai, era diventato un *peretta*, ma mi sa che lo era già un po' anche prima. E
dopo che l'hanno saccagnato di mazzate...»

«Pensavo fossi stato tu.»

«Macché. Avevi pagato per lui e io mi ero messo
tranquillo. Ma avevo anche smesso di rifornirlo e lui si
è impegolato con qualcuno che non gliel'ha mandata a
dire. Per un po' è stato tranquillo, poi ha ricominciato a
fare cazzate e a quel punto... dentro e fuori come l'Atalanta dalla Serie A. Rapinava le farmacie, una roba da
poveracci. Una sera un commesso ha fatto la mossa e
Max gli ha spaccato la testa. Ma c'era la telecamera e
quando è tornato a casa erano già lì ad aspettarlo.»

«È adesso è uscito?»

«Siccome ha l'AIDS...»

«L'AIDS?» Merda.

«Se non stai attento agli aghi... Il suo avvocato è
riuscito a farlo trasferire in un centro di recupero. Un
posto in campagna, a mungere le mucche. Sai come
si sarà divertito. Prendiamo ancora da bere?»

«Sì... non ti ricordi come si chiamava la comunità?» La mia testa era tutta un *clic clic*. Mancava giusto un pezzo.

Alfredo me lo diede. «Boh, una roba di preti...
Aspetta. Santo Sangue, può essere?»

Clic clic clic.

3

Alle quattro chiuse anche il Parrot. Alfredo andò via con una brasiliana che aveva un terzo dei suoi anni, pagata da me, io fumai l'ultima sigaretta in strada, mentre i residui della coca svanivano, lasciando il cervello a galleggiare nell'alcol. Max. Ancora lui. Sempre lui. Voci fantasma ridevano e cantavano a ritmo con i miei tacchi sull'asfalto, commentando il film che mi stavo proiettando in testa. *La Trafficante Production presenta: La storia di Max.*

Nel prologo vediamo scene della sua gioventù. Buona famiglia, ragazzo in gamba. Fa i compiti, studia, gioca a pallone. Il calendario sfoglia i giorni. 1977. Ecco Max giovanotto con la fidanzata, diciamo una biondina con le trecce, il gonnellone a fiori e gli zoccoli, che si usava, lui invece ha i jeans a zampa di elefante. Stanno uscendo dal cinema. Cosa danno? Uhmm, *La febbre del sabato sera.*

Le voci cantano in falsetto Staying Alive.

Mentre camminano felici, passa un corteo di studenti con i caschi. Scontri con la polizia, lancio di molotov, spari in aria. La fidanzata di Max urla, lui invece è come se avesse visto la Madonna. Una luce dorata lo circonda.

Le voci cantano Bandiera Rossa.

E Max diventa il duro dei duri. Lo vediamo dire in assemblea: Cazzo, compagni. Poi lo vediamo uscire a spaccare qualche vetrina, proteggendosi dai lacrimogeni con il fazzoletto rosso e un mezzo limone. Tra un corteo e un'assemblea, amore libero e canne. Qualche scena di sesso che ci vuole sempre, anche a tre che fa peccaminoso. Ma...

Rullare di tamburi.

È il 1978. Da uno spezzone di telegiornale vediamo che hanno rapito Aldo Moro. Poi lo trovano morto. Il clima si fa spesso. Max che scappa mentre arrivano gli sbirri a fare una retata. Max che vede sul giornale la foto della sua fidanzatina, arrestata come compagna Maria, capo delle Brigate Rosse. Sembrava tanto buonina, invece era più dura di lui.

Le voci fanno ooooh.

Max in assemblea con pochi compagni. Max in corteo, quattro gatti circondati da migliaia di poliziotti: i passanti gridano *andate a lavorare.* Max chiude la sede del suo collettivo con un lucchetto.

Le voci cantano Bandiera Rossa *a bocca chiusa.*

Ancora il calendario che si sfoglia, immagini alternate, calendario/Max.

1982. Max che contratta per qualcosa in una piazza. Ma guarda, sta vendendo il fumo.

1983. Max che apre un'automobile, fa un po' di fatica.

1984. Max adesso è diventato un figo, ci mette un secondo a scassinare. È vestito un po' da paninaro.

Le voci cantano: Wild Boys *dei Duran Duran.*

1987. Allegria. La gente balla nelle discoteche, modelle, papponi. Max tira cocaina in un locale. È vestito bene, ha l'aria florida. Un po' gli sta girando. La pubblicità del Ramazzotti incombe.

1990. Max entra da una finestra. Ruba. La sera va a ballare, poi si chiude nel cesso e si fa una pera.

1991. Max va da Oreste e incontra il sottoscritto. (Voglio un attore degno di me per la mia parte... Al Pacino giovane, può andare.)

Da qui avventure, avventure favolose, droga e rock and roll, mettiamoci anche un inseguimento con gli sbirri che non c'è mai stato e una sparatoria contro il clan dei Marsigliesi. Poi Max scende la china. Litiga con Al Pacino. Le strade si dividono, addio vecchio amico. Max conciato da sbatter via, scappa dai creditori e dai pusher, firma assegni in bianco e pagherò. Lo vediamo che cammina nel parco di notte. Qualcuno gli sta dietro. Chi è, chi è?, urla il povero Max. Sono due grandi e grossi con la mazza da baseball. Botte. No, la faccia no, implora.

Voci: crash.

Max in ospedale con la voglia di farsi. Trema per la rota, vomita e scagazza. Lo vediamo coperto di bende che scassina l'armadietto dei medicinali mentre l'infermiera di turno guarda un film in televisione. Max che ingoia di tutto, Max che collassa. Max che esce dall'ospedale zoppicante, sono passati due mesi. La casa è un disastro, i vermi colano dal frigorifero, le mosche ballano nel lavandino. Max scuote il salvadanaio, ne cadono due monete da cento lire e un francobollo. Lo vediamo ricevere una busta a credito da un pusher terribile, con una benda sull'occhio. Poi un'altra e un'altra ancora. Lo spacciatore orbo gli presenta la lista dei debiti e gli fa vedere un coltello. Paga o... Max disperato, Max che non sa che pesci pigliare. Una lampadina gli si illumina sulla testa. Ideona! Suona a una porta. Gli apre Al Pacino/Trafficante. Che gli sorride. Ma prego, entra. Entra. Dài, facciamoci una pista.

Voci: fesso!

Botta in testa: Al Pacino cade sollevando una nube di polvere bianca. Max si frega la cassetta dei soldi, balla lanciandoli in aria e facendoci la doccia come Paperone. Scappa in campagna. Ma Al Pacino lo cerca, Al Pacino chiede ad amici e nemici. Al Pacino arriva alla cascina con la rabbia negli occhi tipo *Scarface*. Max è armato. Max gli spara. Max gli frega il portafoglio. Max lo chiude in cantina. Al Pacino striscia.

Voci: aaaaaaaaaaaaas

Ecco, bravi, pigliatemi anche in giro.

Voci: te lo meriti, Trafficante.

Max che si scoppia i soldi di Al Pacino, Max che si fa due grammi al giorno. Max che rimane a secco di nuovo. Max come un barbone che tutti scansano. Niente più allegre discoteche, niente più donnine. Le auto sono diventate difficili da aprire: antifurti satellitari, chiavi elettroniche. È troppo marcio per scalare finestre. Farmacie, ultima spiaggia. Lo arrestano. Lo mollano. Farmacia. Galera. Farmacia. Galera. Ci mettiamo anche una comparsata di Alfredo, una chiacchiera nel cortile della prigione: ti ricordi i vecchi tempi, eran belli i nostri giorni. Farmacia. Galera. Gli esami. Il dottore del carcere: Mi spiace dirti che sei sieropositivo. Max grida: nooooooo. Dissolvenza. Nero. Bianco. Campagna. Comunità SS. Sangue.

Voci: Laudato sii, o mi' Signore.

Max vestito di bianco che raccoglie le uova ma ne fa cadere una. Max legato in una porcilaia. Max che ruba una mela. Max frustato da un guardiano. Max appeso per i pollici. Max in ginocchio sui ceci.

Max che riga dritto. È un robot, ha l'occhio spento, la testa china e dice sissignore. Max che confeziona cestini Cibosanto™ senza alzare lo sguardo. Max che prega in chiesa. Max che si fa la foto di gruppo con gli altri reclusi. E mentre lo fotografano il suo sguardo si sposta. Segue un macchinone entrato nel cortile della comunità. Una Porsche nera. Scende un tizio vestito bene a braccetto di una tizia con la puzza sotto il naso. I guardiani fanno il saluto militare. I reclusi applaudono. La cinepresa inquadra il tizio. Sorpresa: è il buon Al Pacino, grasso e vecchio. Guarda Max senza riconoscerlo. Gli fa pat pat sulla testa, bravo continua così, Dio ti ama tanto. Max si rode. Max medita vendetta. Ha un bagliore negli occhi, come ai vecchi tempi.

Calendario: 2005.

Voci: ssst, ssst. Ci siamo.

Io: Ci siamo un cazzo. Fatemi pensare... Se è ancora in comunità non può aver fatto niente, ma se è uscito...

Voci: se è uscito...

Io: Se è uscito ho trovato chi ha dato il colpetto alle lame del coltello.

Ero arrivato all'auto. Cercai di afferrare la maniglia ma non ci riuscii, mi sdraiai sul cofano a guardare il cielo. La luna piena aveva la faccia di Max. Mi rialzai dal cofano e caddi sul marciapiede. La pozzanghera aveva lo sguardo di Max. Mi rialzai dal marciapiede e caddi con la faccia contro il finestrino. Mi concentrai, mi misi dritto. Cercai il pulsante giusto dell'antifurto. Sirena. Altro pulsante, fine della sirena, le porte si sbloccarono. Mi spappolai dietro il volante. Mi chiusi la portiera su una caviglia. Accesi una sigaretta, ne avevo già una in bocca. La gettai e il tappetino cominciò a bruciare. Ripigliati, cazzo. Spensi l'incendio con il tacco.

Infilai la chiave nel quadro: *vrooom*. L'auto fece un balzo e mi spaventai. L'adrenalina mi risvegliò leggermente. E mo'? Spillo era stato arrestato e rischiavo di trovarmi gli sbirri a casa. Monica l'avrebbero controllata subito dopo, negli alberghi gli sbirri passano due volte il giorno a controllare chi c'è. Avevo una macchina da centomila euro, la Platinum card, ma nessun posto al mondo dove andare. Mi infilai l'iPod nelle orecchie, *Vertigo*, *Miracle Drug*. Il parabrezza sembrava appannato, accesi i tergicristalli ma non servì a niente. Abbassai il finestrino e guidai con la testa di fuori, l'aria gelida era bbbbbbellllllliissssiiiima.

Alle cinque del mattino mi ritrovai davanti a un citofono bruciato, con una A anarchica tracciata a spray. Gli U2 cantavano *City of Blinding Lights*. Premetti tutti i pulsanti a ritmo di musica, poi spinsi il portone. Salii le scale cantando a squarciagola. Al primo pianerottolo si era radunata una piccola folla che mi guardava male, che gridava senza emettere suoni. Cercarono di afferrarmi, cercarono di immobilizzarmi. Lottai, gridai. Mi atterrarono.

Ultimo giorno

1

«Lasciatemi andare!» gracchiai. Poi ululai, la testa mi faceva un male orrendo. Non tutta, solo la parte sinistra, ma bastava e avanzava. Mi era morto qualcosa dentro, mezzo cervello. Aprii un occhio, la luce lo pugnalò. Lo richiusi. Avevo un affare duro sotto la schiena, infilai la mano e mi scollai l'iPod dalla pelle. Ci avevo dormito sopra e le cuffiette si erano arrotolate attorno alla mia caviglia.

«Sei sveglio?»

Riaprii l'occhio. Mi lacrimava. Mi voltai su un fianco. Salima era distesa sul letto a un centimetro da me. Nuda, ma non ero in condizioni di apprezzarla. Da vicino, si notava il ventre leggermente arrotondato. Mio figlio. O mia figlia. Che cazzo. «No, sono morto.»

Mi carezzò il viso. Aveva le dita fresche. «C'è mancato poco che succedesse davvero. Ti ricordi cosa hai fatto stanotte?»

«La memoria non è il mio forte in questo periodo.»

«Hai svegliato tutto il palazzo, poi hai aggredito i miei vicini. Loro cercavano di parlarti, ma avevi gli auricolari e non sentivi niente. Continuavi a gridare: lasciatemi, sporchi musi neri.»

Vagamente… «Mi sembrava una cosa spiritosa.»

«Per fortuna che sono arrivata prima che i miei vicini ti buttassero nella tromba delle scale. Non hanno tanto il senso dell'umorismo. Come stai?»

«*Uhmmm.*»

«Ti faccio un massaggio shiatsu.»

«Aspirina non ce n'è?»

«Non uso medicine. Girati.»

Mi misi sulla pancia e il movimento mi fece quasi piangere. Salima si sedette a cavalcioni del mio sedere e cominciò a premere lungo la colonna vertebrale salendo sino alla nuca, poi scendendo di nuovo. Al terzo passaggio mi sentivo leggermente meglio. «Forse funziona.»

«Funziona da duemila anni, anche con i testoni come te.»

«Sai, sembri quasi divertit… ahhh» aveva premuto un punto sensibile.

«È stata la prima volta che ti ho visto sbronzo.»

«E…»

«Forse non mi dispiace sapere che ogni tanto ti lasci andare anche tu.»

«Ogni tanto? Di solito il mio problema è quello contrario… Ecco, lì… bello… Quanto guadagni con il tuo lavoro?»

«La palestra mi dà mille e cinquecento euro al mese. Qualche volta di più, dipende da quanti clienti mi vogliono come personal trainer.»

«E ci si riesce a campare?»

«Se ti accontenti, sì. Perché?»

«Sai dei miei casini, vero?»

«Li ho letti sul giornale. Quanto mi devo preoccupare da uno a dieci?»

«Venti. Se me la cavo, ti toccherà mantenermi fino a quando non trovo un lavoro. Spero che capiti prima che tu sia troppo *gonfia* per infilarti una tuta da ginnastica.»

Le sue mani si bloccarono sul mio collo. «Stai parlando sul serio?» sussurrò.

«Ti sei presa un pubblicitario di successo, ti ritrovi con un ex pusher disoccupato.»

«Pusher?»

«Una storia lunga. Ma vuol dire che non potremo mangiare caviale per un po'.»

«Guardami.»

«Non posso girarmi finché mi stai seduta sopra.»

Si spostò, mi alzai su un gomito. Aveva la faccia più stravolta della mia. «Perché?»

«Perché cosa?»

«Lo sai cosa.»

«Non te lo so spiegare. Forse perché non posso tornare indietro a quello che ero, e mi fa schifo quello che sono diventato.»

Ansimò. «Mi ami?»

«Ti conosco da tre giorni. Ma mi piaci, ed è più di quello che posso dire di tutti gli altri che ho incontrato finora. Se ti accontenti...»

Sembrò che stesse per dire qualcosa, poi scosse la testa. «Vado a farti una tisana al tarassaco. Depurativa.»

«Oh, merda.»

Sapeva davvero di merda, e faceva pisciare alla grande. Al quarto passaggio in bagno ero tornato quasi umano. Mi rivestii. La casa di Sally erano due stanze con il tetto mansardato, riscaldata con una serie di stufette elettriche sparse. Sembrava che Sally avesse voluto stiparla al massimo. Non c'era un angolo di pavimento libero da tappeti, un muro senza un quadro, una fotografia o un batik, un mobile senza qualcosa sopra. Un angolo del comò in camera da letto era riservato a me. C'era una mia fotografia, scattata con una Polaroid, mentre ero seduto sul letto di Sally e mi annodavo la cravatta: colto di sorpresa dopo il misfatto. Sotto la fotografia, in una ciotola di vetro, c'erano un bottone di camicia e una penna stilografica che conoscevo. La presi.

«L'ho trovata dove sei caduto, sulle scale della palestra» disse Sally. «Credo sia tua.»

«L'avevo in tasca, quindi immagino di sì.» La rimisi nella ciotola. «Mi hai dedicato un altarino.»

«Se tieni in casa qualcosa della persona a cui vuoi bene, qualcosa che ha perso, tornerà.»

«Hai visto? Ha funzionato.»

Sally si era vestita e adesso stava battendo sulla tastiera di un computer, in un angolo della cucina.

«Lavori?» chiesi.

«No, faccio la spesa. Non ho voglia di trascinarmi le bottiglie dell'acqua. Il supermercato di zona consegna anche qui. Vuoi qualcosa di particolare?»

Guardai da sopra la sua spalla una fila di immagini di prodotti alimentari.

«E come paghi?»

«Con il bancomat, quando vengono a consegnare. Si può usare anche la carta di credito, ma non ce l'ho.»

«Io sì.» Tolsi la Platinum dal portafoglio. «Serviti. Finché non me la bloccano, tanto vale fare scorta.»

Sally la rigirò tra le dita. «Che tentazione... Vendono online anche l'attrezzatura da palestra. Al centro serve giusto giusto qualche decina di macchine per il fitness.»

«Non so che roba sia il fitness, ma fai pure.»

«Una volta si diceva ginnastica.»

«Ah.»

«Ma per oggi mi limiterò al cibo.»

La televisione portatile pigolava all'altro angolo della cucina: un gruppo di arabi veniva portato via ammanettato dagli sbirri inglesi. Percepii la parola kamikaze e alzai il volume con il telecomando incerottato che trovai sul tavolo.

«... *secondo Scotland Yard, gli attentatori tentavano di introdurre esplosivi a bordo mescolandoli alla pasta del dentifricio e le autorità aeronautiche hanno dichiarato che, sulle tratte per l'Inghilterra e gli Stati Uniti, a partire dalla giornata di oggi sarà vietato portare nel bagaglio a mano prodotti cosmetici di qualsiasi natura.*»

«Per fortuna non hanno provato a mettersi la bomba nelle mutande, altrimenti vieterebbero anche quelle» dissi.

«Ssst.» Sally, che si era voltata a guardare.

«... *ma in breve tempo l'accesso agli aerei sarà reso più sicuro grazie ai nuovi sistemi di controllo. Ecco il servizio.*»

Nel filmato si vedeva il disegno di un omino che entrava in un tunnel di metallo, dove veniva fotografato, pesato e annusato da decine di sistemi di controllo che gli sezionavano ai raggi X anche la suola delle scarpe.

(Impara: *shoe scanner*. Impara: *impronta retinica*.)

Tempo previsto, mezz'oretta a persona: m'immaginai interminabili file di passeggeri che aspettavano per giorni il loro turno d'imbarco, senza avere davvero la certezza che il loro vicino di sedile non fosse un bombarolo più furbo degli sbirri. Di solito, ed era la mia esperienza di ladro a dirmelo, i sistemi di sicu-

rezza si cambiano solo *dopo* che qualcuno li ha frega-
ti. Avrei evitato di volare fino a quando la guerra non
fosse finita, anche se avevo l'impressione che non sarebbe mai successo. Mi ero addormentato con le bombe in Iraq raccontate da Peter Arnett e le ritrovavo
quattordici anni dopo. La Seconda guerra mondiale
era durata di meno.

Sally si stava infilando gli anfibi. «Io ho il corso di
pilates. Tu cosa fai?»

Spensi la Tv e guardai l'ora, era quasi mezzogiorno. *Max.* «Un po' di ricerche, non spegnere il computer. Non so se ci sarò quando rientri, ma ho lasciato la
penna, quindi stai tranquilla che ritorno.»

«Ragiul ha le chiavi di casa mia. Lo trovi al centro
islamico, oppure al Phone Center. Ha anche le chiavi
della tua auto.»

«Come mai?»

«Perché l'avevi parcheggiata contro il portone e
gliel'ho fatta spostare. Per chiudere, basta che ti tiri
dietro la porta.»

«Parla anche con i vicini, non vorrei che mi prendessero a bastonate.»

Mi diede un bacio e sembrò non notare il mio alito
moschicida. «Non ti preoccupare, sei sotto la mia ala
e chi ti tocca lo spezzo in due.»

Finii la tisana, ormai fredda e ancora più schifida, e
mi sedetti al computer di Sally. Niente password, il
salvaschermo era una fotografia della padrona di casa circondata da bambine. Ma davvero le avevo detto
che volevo vivere con lei? Dovevo essere fuori di testa. Recuperai dal letto il mio iPod. Secondo il libretto delle istruzioni che avevo infilato nella tasca del
cappotto si poteva ricaricare collegandolo al compu-

ter. Trovai il buco giusto dove inserirlo e miracolosamente sullo schermo spuntò un elenco di canzoni (impara: *iTunes*) che potevo ficcarci dentro. Pigiai *Ok* e lasciai che il serbatoio dell'attrezzo si riempisse mentre cercavo la comunità SS. Sangue sul Web.

Le immagini del sito erano simili a quelle che avevo visto sparse in giro alla cena Pecorella, giovani e meno giovani che si spaccavano allegramente il culo nelle attività campagnole. La sede principale, c'erano anche un paio di succursali sparse per l'Italia, era a un'ora di macchina da Milano in direzione sud. Una mappa spiegava la strada per chi voleva partecipare alle Domeniche aperte, mangiando, bevendo e pregando il Signore. Era sabato, ma sperai che il mio status di Pecorella dirigente permettesse uno strappo alla regola. L'iPod segnava caricamento completato 50 per cento, accesi il cellulare e chiamai l'avvocatessa.

«Come butta?»

«Non bene» grugnì.

«Una buona parola ogni tanto mi aiuterebbe.»

«Scusa, sono stanca e di solito il sabato mi riposo. Hanno preso Manzi.»

«Lo sapevo già. Se mi devono arrestare, ti avvisano prima?»

«Credi di vivere a Topolinia?»

«Chiedevo solo. Volevo dirti che sto facendo una ricerca. Avrò qualche novità a breve, spero.»

«Ricerca su cosa?»

«Sull'assassino di Roveda.»

Sospirone. «Santo...»

«Che c'è?»

«Santo, ti stai illudendo.»

«Perché?»

La sua voce si addolcì leggermente, adesso aveva lo stesso tono che si usa con gli ammalati che non guariranno mai. «Santo, io ti credo quando mi dici che non ricordi, ma l'amnesia ti è venuta lo stesso giorno della morte di Roveda, eri ai ferri corti con lui e hai fatto altre cose di cui preferisco non parlare al telefono. Devi guardare in faccia la realtà.»

«Pensi che sia stato io?»

«Vuoi la verità? Sì.»

«Non la volevo. Comunque, grazie.» Un bip nell'orecchio. Il nome di Monica lampeggiava sul display vicino alla scritta *Avviso di chiamata*. «Mi cercano. Ti terrò informata.» Riattaccai e automaticamente si collegò la mia fidanzata ufficiale.

«Come stai?» chiese.

«Bene.»

«Hai una voce terribile.»

«Be', non è 'sto gran periodo.» La sua invece era guardinga.

«Ho provato a telefonarti a casa, ma non mi hai risposto.»

Ops. «Sono... in giro. Che si dice in ufficio?»

«Be', oggi è sabato e non ci sono andata, ma ieri te lo puoi immaginare. Qualcuno ha appeso un ritaglio di giornale con la tua foto alla macchinetta del caffè e ha scritto sotto: il nostro eroe. Uno dei guardiani l'ha tolta subito, però.»

«Divertente.»

«E tutti si chiedono chi sia l'anonimo impiegato che si è fatto intervistare, sai quello di *qui non si capisce più niente*. Io voto per Pippo. Gli hanno rubato la moto l'altro giorno, sarà stato di cattivo umore.»

«Che moto era?»

«Non ne ho idea. Nera e grossa.»

Poteva essere la stessa di quando avevo rischiato di farmi tagliare la testa. Forse il mio mancato killer si era rifornito in zona.

Silenzio. «Volevi dirmi qualcosa?» chiesi.

«Perché?»

«Perché hai la voce di chi la prende alla larga.»

«Ascolta, Saint. Sono andata da Giulio, il tuo medico.» Sembrava imbarazzata. «Abbiamo parlato della tua amnesia. Mi ha detto che conosce chi potrebbe farti una perizia, che avrebbe un valore in tribunale... nel caso che... nel caso, insomma.»

«Anche tu con questa storia? Sono innocente, cazzo! Possibile che nessuno in questo porco mondo sia disposto a crederci?»

Cominciò a singhiozzare. «Quello che scrivono... quello che scrivono i giornali...»

«Hai letto cosa dicono del tuo paparino?»

Stop alle lacrime. «Che cosa stai insinuando?»

«Che aveva più ragioni di me per accopparlo.»

«Perché tu lo sappia, papà era in casa con me quando è morto Mariano. E c'erano altre venti persone, gli amici del golf. Non mi aspettavo che fossi così crudele da prendertela con lui, che ti ha sempre aiutato.»

«Va be', arrivederci.» Riattaccai. Provò a richiamare un paio di volte, poi smise. IPod, carica terminata. A me, musica a caso, jazz, volume a palla. Mi tirai dietro la porta, una tizia di cui si vedevano solo gli occhi sotto un lenzuolo azzurro che la copriva da capo a piedi si affrettò a ritornare in casa. Ragiul si stava facendo una canna fuori dalla rivendita di telefonate. Appena mi vide, agitò le chiavi della Porsche. Tolsi un auricolare.

«Bella bestia» disse. «Me la presti, qualche volta?»

«Se mi arrestano, te la lascio in eredità.» Gli presi la canna e feci due tiri. Tossii.

«Troppo forte per te, cane infedele?»

«Troppo tagliato. Voi giovani non sapete più che cos'è il fumo buono. Dove l'hai parcheggiata?»

«All'angolo, in divieto di sosta, ma c'era posto soltanto lì.»

«Ci scommetti che mi hanno fatto la multa?» Rimisi l'auricolare. David Bowie, *Space Oddity*.

Infatti c'era la farfalla sotto il tergicristallo. Settanta euro, 'sti cazzi. La strappai con gusto e mi infilai nella palude del traffico. Sabato prenatalizio, tutti in giro a comprare panettone e regali. Avrei fatto prima a camminare sui tetti delle auto, che a rimanere in coda. Beatles, *Hey Jude*. Il tiro di canna si faceva sentire quel tanto che bastava. La tangenziale era un po' meglio, a parte le file infinite di camion. Feci il pieno visto che ero a secco (serbatoio da cento litri, un salasso da paura) e proseguii per Pavia infilando la statale. Ai fianchi vedevo le uniche colline della Pianura padana e le anse nebbiose del Lambro. *Musica elettronica*.

Poco prima di Sant'Angelo Lodigiano trovai le indicazioni per la comunità, un cartello che puntava una stradina tra le viti. Il primo segno della SS. Sangue fu una lunga recinzione di maglia di ferro che correva lungo il lato sinistro della strada, racchiudendo i campi coperti di brina ghiacciata. A distanza, un'altra recinzione più alta, con il filo spinato, dietro alla quale si scorgevano edifici che sembravano fattorie o rimesse e un trattore che si muoveva piano, spandendo nuvole di fumo. *Musica classica*, avanti, cioè, *skip*, Giorgio Gaber, mio dio no, *skip*, Ray Gelato,

Buonasera signorina. Dopo circa un chilometro apparve un cancello nella recinzione più esterna. Spensi l'iPod, scesi dall'auto e suonai al citofono incastonato in un cippo di pietra: una telecamera mi stava inquadrando. Dissi chi ero alla voce femminile che mi rispose, il cancello si aprì con un comando elettrico. Avanzai a passo d'uomo lungo un sentiero di ciottoli fino a un grande parcheggio dov'erano allineate una cinquantina di automobili e un paio di camion scoperti con la scritta CIBOSANTO™ sulla fiancata.

Mentre mi avvicinavo a piedi al cancello interno, più massiccio, mi resi conto delle vere dimensioni della comunità che si stendeva oltre la fila di alberi. Era una città, i cui edifici salivano sul fianco di una collina e si allargavano a cerchio fin dove potevo arrivare con lo sguardo. Al centro sorgeva una chiesa in pietra rossa, attorno case a due piani, almeno un centinaio, bianche con il tetto verde, grandi capannoni, silos e altre costruzioni che sembravano dedicate alla vita sociale. Le stalle e le porcilaie erano sistemate alla periferia, e un lungo galoppatoio, che riconobbi per aver fatto qualche scommessa all'ippodromo, riempiva il lato sinistro, tra la collina e la chiesa. La popolazione residente sembrava tutta in movimento. Camminava a gruppi nelle stradine, entrava e usciva dagli edifici, spingeva carriole, spalava, spazzava, suonava la chitarra, conduceva cavalli tenendoli per le briglie, aggiustava biciclette, dipingeva muri, sistemava sassi e fili d'erba. Quasi tutti indossavano giacche a vento rosse.

Una bionda sulla trentina, con una lunga treccia, mi stava aspettando sul cancello. La sua giacca era nera con un Gesù (sanguinante) ricamato sul cuore. «Dottor Denti» disse, emozionata. «Non la aspettavamo.»

«Passavo da queste parti.»

La bionda aprì il cancello con una chiave scelta da un grande mazzo che le pendeva dalla cintura. Passai, richiuse. Le andai dietro lungo uno dei vialetti che si congiungevano a raggiera su una piazza con un grande presepe scolpito nel legno. Se non si badava al recinto che tagliava l'orizzonte, e allo stile monotono e uniforme degli edifici – le stesse decorazioni natalizie ovunque, le stesse madonne e crocifissi in ogni angolo –, poteva sembrare davvero di essere in un qualsiasi paesino, con l'età media molto bassa. Qualcuno di quelli che incrociammo alzò la mano a salutarmi, risposi allo stesso modo. Si sentiva odore di minestrone e sterco di cavallo. «Senta, la mia visita non è del tutto disinteressata» dissi. «Ho bisogno di informazioni su...» stavo per dire recluso, ma mi fermai in tempo «... su un ospite della comunità.»

«Dovrebbe parlarne con il direttore, don Giulio. Ma non c'è, oggi.»

«Non c'è qualcuno che può aiutarmi?»

«Possiamo chiedere a Marta, della segreteria generale» disse la ragazza, mordicchiandosi la treccia. «Ma adesso forse è al bar...» Sorrise misteriosa.

Un gruppo di rossi stava camminando in fila per tre, seguendo una giacca nera. Cominciavo a capire il codice colore. I neri sorvegliavano o accudivano. I rossi lavoravano o si riposavano. I verdi erano addetti agli uffici. Passò un giallo tra due neri, che lo sorreggevano e incoraggiavano mentre lui metteva faticosamente un piede davanti all'altro. Scommisi con me stesso che i gialli erano i nuovi arrivi.

Superammo un edificio tutto vetri, che si rivelò essere una sala mensa, ancora mezza piena di persone sedute ai tavoloni, e la mia guida puntò verso una costruzione che si ingrandiva in fondo al vialetto: cubica, vagamente simile a un municipio americano, con le finestre decorate a pagliuzze dorate e stelline. All'interno somigliava molto alla mia scuola media, tranne che era pulito da potercisi specchiare. Un paio di ragazzi con gli spazzoloni e i secchi stavano lavando le piastrelle. La mia guida li salutò, poi ne rimproverò gentilmente uno, un *giallo*, perché aveva lasciato una macchiolina in un angolo. Il giallo aveva la faccia inespressiva e la palpebra a mezz'asta, ogni gesto sembrava costargli uno sforzo disumano. Alzò molto lentamente lo spazzolone e lo spostò lungo il pavimento, un centimetro l'ora.

La ragazza bussò alla porta di un ufficio, bianca come tutti gli infissi, poi mise dentro la testa. «Non c'è.» Mi fissò. «Magari posso provare ad aiutarla io...»

«Grazie.»

La ragazza entrò, poi richiuse la porta dietro di me. Mi gettò le braccia al collo. «Ma prima devi darmi un bacio. Non ti preoccupare, non verrà nessuno per mezz'oretta.» Mi infilò la lingua in bocca, sapeva di menta. La baciai per mezzo minuto, senza ondate particolari di ricordi, per fortuna. Si slacciò la giacca a vento e vidi che sulla maglietta portava una spilla con il nome.

«Avevi detto che saresti passato a trovarmi, ma è da un mese...» Mi infilò la mano nei pantaloni. Le bloccai il polso, lei non tolse la mano. «Dài, cinque minuti...»

«Prima dimmi quello che mi serve, per favore...» lessi la targhetta «*Giovanna*.»

«Poi mi porti nella porcilaia, come l'altra volta?»

Nella porcilaia? Che allegria. «Certo.»

Si staccò. «Chi ti interessa?»

Le dissi il nome completo di Max.

«Mi sembra di aver capito chi è, ma aspetta che controllo, non vorrei fare casino.» Si sedette dietro la scrivania. «Marta cambia sempre la password, ma poi la lascia scritta.» Batté sui tasti. «Vieni a vedere, è lui?»

Sullo schermo era apparsa una fotografia sgranata che sembrava presa da una patente. Un Max quasi dei miei tempi. Bastardo.

«Sì.» La voce mi tremava un po'.

«Adesso non assomiglia più tanto alla foto. È dimagrito e ha perso i capelli. Si sta curando, ma ha il fegato a pezzi, poverino. Non ero sicura che fosse lui che cercavi perché qui si faceva chiamare solo Max.» Si lasciò andare contro lo schienale, stirandosi e buttando in fuori le tette. «Qui siamo in duemila e cinquecento, ci si conosce tutti. Cosa vuoi sapere?»

«È ancora qui?»

«No. Ha terminato l'affido due mesi fa.»

Max era tornato in città appena in tempo per rompere le uova nel paniere del pubblicitario. Ce li vedevo a incontrarsi per caso da Oreste, con il pubblicitario che non lo riconosceva per via degli anni passati. E da Oreste a Spillo, da Spillo a Roveda non doveva averci messo molto. Prima mossa di Max: rivelare a Roveda che il suo vecchio amico Trafficante lo stava spiando. Seconda mossa, aiutarlo a trovare qualcosa contro di lui. Terza mossa, usare le foto di Salima per spillarmi i quattrini. E quando il vecchio farfallone si era ribellato al doppio gioco di Max, che prometteva il famoso equilibrio di coltelli, Max lo aveva ucciso. Aveva voluto prendersi la sua fetta, il bastardo, lo schifoso, e aveva fatto un casino. Ma perché cercare di ammazzare me invece di andarsene con i soldi?

«Credi che sia ancora a Milano?» chiesi.

Giovanna mosse il mouse sullo schermo e lesse. «Sicuro. È in libertà vigilata. Non può lasciare il Comune di residenza, e deve firmare tre volte alla settimana presso la questura. Per un altro paio di anni, almeno.»

Ecco la spiegazione. Max non poteva scappare e aveva cercato di cancellare le tracce di quello che aveva fatto. Adesso doveva tremare dalla paura che io raccontassi alla polizia quello che sapevo e gli facessi scontare in galera i pochi anni che gli rimanevano da vivere. Forse il pubblicitario aveva addirittura capito che c'era lui dietro tutto il casino. Peccato che non me lo avesse scritto da qualche parte.

«C'è il suo indirizzo nuovo?»

«Qui dice che sta nella casa appoggio.»

«Cos'è?»

«È un centro di sostegno per chi esce dalla comunità e non ha parenti, finché non trova un lavoro esterno e un posto suo dove stare.» Mi disse la via. Periferia, dalle parti di viale Ortles con la mensa per i poveri. Ecco perché Max non aveva un numero di telefono quando lo avevo cercato su Internet, pensai.

«Quanto si è fatto Max?»

«Quattro al gabbio e due da noi.»

«Non poco.»

«Omicidio preterintenzionale.»

«L'ultimo farmacista?»

«Sì. Gli hanno dato le attenuanti perché era fatto marcio. Come quasi tutti quelli che arrivano qui.»

«Anche tu?»

«Vuoi vedere la mia scheda?»

«No, non c'è bisogno.»

«Dài, è divertente.» Cliccò e voltò lo schermo perché leggessi meglio. *Traffico internazionale di stupefacenti, violenza aggravata. Pena interamente scontata.* Era rimasta come volontaria. *Mansione: educatrice.*

«Complimenti» dissi.

«Spaventato?»

«Non ci crederai, ma di solito è quello che chiedo io agli altri.»

«Mi piacerebbe guardare la tua biografia, purtroppo qui non c'è». Sorrise e si leccò le labbra. «Sei soddisfatto, adesso? Perché hai una promessa da mantenere. Hai letto, violenza aggravata... Non vorrai farmi arrabbiare.»

«Eh, già. La porcilaia?»

Mi si gettò addosso. «C'è un posticino comodo comodo e non si sente quasi la puzza.»

«Ogni promessa è debito.» E alla fine, volente o nolente, i miei ormoni avevano cominciato a viaggiare.

Sbloccammo la porta e uscimmo in corridoio proprio mentre una donna sulla quarantina, con i riccioli, si avvicinava. La targhetta sotto la giacca verde diceva *Marta*. «Dottor Denti. È venuto a farci visita?»

«Giusto un salto. Faccio un giro e vado a casa.»

«Lo accompagno io» disse Giovanna.

Marta annuì. «Certo, il dottore è di casa. Se ha tempo passi a bere un caffè, prima di andarsene.» Girandosi per entrare in ufficio mi fece l'occhiolino.

Rimasi di sasso. Pubblicitario, ma il cazzo nelle mutande proprio non riuscivi a tenercelo?

«Una vacca in calore» disse Giovanna. Aveva notato il gesto.

«Senza vergogna, proprio.»

Ritornammo sul viale principale e puntammo verso la cerchia esterna della comunità. Chissà in quale di quei dormitori Max aveva vissuto e progettato il suo ritorno alla grande.

«A cosa sta pensando, dottor Denti?» chiese la guardiana. «A quello cui sto pensando io?»

«Ci puoi scommettere.»

«Mi sembra meno arrapato del solito, se posso essere sfacciata.»

«Tu sfacciata? E quando mai?»

Stalle e porcilaie erano in vista quando mi vibrò la tasca. Il display del cellulare diceva *Serena*. Oh, mio dio, un'altra amante? Risposi, perché avevo visto che era la terza volta che chiamava in venti minuti. Stranamente, la voce era quella di un uomo. Mi chiese se ero io.

«Dipende da chi è lei.»

«Sono il dottor...» disse un nome che non capii. «Di Villa Serena.»

Serena era un posto, quindi. «Che succede?»

Era per mio padre. Stava morendo.

2

La stanza puzzava e io stavo fermo sulla soglia, incapace di entrare. Mi ero aspettato medici che urlavano e infermieri che correvano, ma la realtà di quel posto era peggiore. C'era solo un vecchio scheletrico nel letto, che respirava appena in una mascherina di plastica e aveva due flebo che gli gocciolavano nelle vene nere, un vecchio che l'ultima volta che l'avevo visto pesava ottanta chili e si vantava di riuscire a fare cento flessioni. Niente viaggio in Europa con il camper per mio padre, ma la camera numero dodici dell'ala "Non autosufficienti" di Villa Serena, un brutto edificio marrone che si nascondeva dietro un mazzo di alberi spelacchiati. Il cronicario. L'ospizio.

Il medico che mi aveva accolto era stato gentile e frettoloso. «Cosa vuole che le dica, stanotte ha passato un brutto momento.»

Un brutto momento, l'ultimo di una lunga serie. Ma era inevitabile, spiegò il medico, con un tumore che dal pancreas era andato in giro cellula dopo cellula. Gli funzionava solo un polmone e un quarto del fegato, respirava attaccato all'ossigeno. I momenti di coscienza erano sempre più rari.

«Non si può portarlo in un ospedale? Operarlo?» avevo chiesto. «Non si può fare niente?»

«Si può aspettare» aveva risposto il medico, prima di tornarsene al suo giro. Era lui solo per più di cento lungomorenti, andava di fretta.

Entrai. Sul comodino c'erano un paio di occhiali da vista poggiati su un settimanale impolverato. Una bottiglia d'acqua, un bicchiere. Nell'armadio aperto si vedeva un pigiama pulito piegato sul ripiano e una vestaglia appesa. Il volto sotto la mascherina era un teschio con gli occhi chiusi e la barba di due giorni, i capelli erano fili di cotone, il collo così magro che spariva nel cuscino. Non aveva più labbra.

Presi l'unica sedia e la trascinai vicino al letto. Mi sedetti.

«Ciao, Piero» dissi.

Il teschio batté le palpebre, mosse la bocca. «Ssss...»

«Santo. Sono io, sì. Vuoi qualcosa? Dell'acqua?»

Fece cenno di no.

«Bene.»

«Sei... venuto a trovarmi.» Alzò lentamente la destra cercando il mio viso. Le sue dita secche mi accarezzarono la guancia. «Mio... figlio. Il dirigente...»

«Già.»

Indicò il comodino. «Prendi... prendilo.»

«Cosa, il bicchiere?» No. «Il giornale?» Sì. «Devo aprirlo, dove?» C'era il segno. Rubrica "Vippissima News", titolo *Chi c'era e chi non c'era*. Festa in un posto in Sardegna per ferragosto. Battone e ballerine. Una modella cavallona nera, un tizio con la faccia da pappone e gli occhiali scuri che la teneva a braccetto, un pirla che si infilava tra i due per farsi fotografare. Il pubblicitario, con un sorriso ebete.

«Sei… una persona… importante…»

«Non è vero, Piero. Tuo figlio non vale un cazzo.»

Chiuse gli occhi. «Mi fai tanto… felice…»

Gli piazzai il giornale davanti alla mascherina. «Vedi che non c'è il mio nome nella didascalia? Dài, guarda. Ero solo un imbucato.»

«Come andiamo oggi, eh? Stai facendo il bravo?» Era spuntata una suora. Si chinò su mio padre e gli aggiustò il cuscino. Lui mi indicò con il braccio bucato dalla flebo.

«Mio… figlio.»

«L'ho visto, tuo figlio. Un bel ragazzone che ogni tanto si ricorda di passare a visitarci. Hai detto le preghiere?»

«S… sì.»

«Bravo, perché la Madonna ti deve dare tanta, tanta forza.»

A me. «Il cappellano è disponibile da subito, se vuole.»

«Il cappellano?»

«L'estrema unzione» sussurrò. Si tolse di tasca un'immaginetta e la baciò, poi la mise sotto il cuscino di mio padre. «Tanta, tanta forza.»

«Tolga quella roba» dissi.

«Come?»

Mi alzai in piedi. «Tolga quella cazzo di roba.» Infilai la mano e presi il santino. Sacro Cuore di Gesù. Lo strappai e lo gettai in terra. «Esca.»

«Ma è impazzito?»

«Fuori. Dai. Piedi.»

Raccolse i pezzi e uscì, scuotendo la testa.

Mio padre stava facendo un suono strano. Mi spaventai, ma stava solo ridendo.

«Non ti sono mai piaciute le suore» gli dissi.

Rise ancora. Sembrava un sacchetto di noci che viene scosso. «Mi... dispiace... che vieni poco... a trovarmi... ma so perché... devi lavorare.»

Tornai a sedermi. Aveva un filo di bava che gli colava sul mento. Glielo asciugai con un fazzolettino di carta che presi dal suo cassetto. «Piero, io non vengo perché sono uno stronzo. Ti ho messo qui nella discarica e mi faccio i cazzi miei.»

«Non... non è vero...»

«Invece sì che è vero. Ma cosa potevi aspettarti, eh? Mica andavamo tanto d'accordo, io e te. Ti ricordi che litigate?» Perché non ci vedevo più, cosa mi stava succedendo? «Però mi dispiace, Piero. Davvero. Hai fatto una vita di merda e avrei voluto che almeno alla fine ne avessi azzeccata una... la casa al mare...» Mi asciugai le lacrime, vergognandomi che potesse accorgersene. Tossii per schiarirmi la voce. «Vuoi acqua?»

«No... il tuo amico me lo... dice sempre... che sei molto impegnato...»

«Quale amico?»

«Me l'ha detto anche... stamattina...»

«Quale amico?»

«Giovanni. No. Franco... No... Marco?»

«Buonanotte...»

«Max?»

«Cos'hai detto?»

Mio padre aveva chiuso gli occhi. Lo scossi. «Cos'hai detto?»

Rialzò le palpebre. «Ciao... Sei venuto...»

«Hai detto Max? Hai detto Max?»

«Prendi.... Prendi» indicò il comodino.

«E basta con 'sto cazzo di giornale!»

«... fai... tanto felice...»

Balzai in piedi, non riuscivo più a respirare. Aprii la finestra e misi la testa fuori. Non poteva essere vero. Mio padre non riusciva più a distinguere la realtà. Chissà dove aveva pescato il nome, proprio quello giusto. La stanza era a piano terra, affacciata sul camminamento che circondava il padiglione e, più in là, su un parco spelacchiato dove un ottuagenario in tuta da ginnastica faceva le respirazioni. Mi accesi una sigaretta ma dopo due tiri il mio sguardo cadde sulla strada, la stessa che avevo fatto arrivando da Porta Romana, poco distante. Si stava fermando una volante. Due volanti, tre volanti. Un'auto civile con i lampeggianti.

Tornai dentro e mi chinai su mio padre. «Devo andare. Cerca di stare bene.»

Mio padre ansimò, poi mi afferrò un polso. Sembrava impossibile, ma quella mano scheletrica aveva una stretta d'acciaio. «Non... non lasciarmi... qui.»

Scossi il braccio, non si staccò. «Mollami, dài.»

«Non lasciarmi... non...»

Lo strattonai. Mi prese anche con l'altra mano. Sembrava che tutte le forze gli fossero tornate all'improvviso. Mi teneva e gemeva a bocca aperta. «Non lasciarmi qui... Non...»

«Cazzo, papà.» Puntai i piedi e diedi uno strattone. Mio padre scivolò fuori dal letto strappando il tubo dell'ossigeno e facendo cadere la piantana delle flebo contro il muro, ma le sue dita rimasero piantate nel mio polso, come una tagliola. «Mollami!»

«Nooo.»

Gli stecchini che aveva per gambe si agitavano, picchiando i piedi contro il comodino, trascinando le lenzuola. Il sacchetto del catetere si spiaccicò sul pavimento, spargendo piscia.

«Ma porca merda!» Infilai la mano libera sotto le sue dita e gliele staccai una a una. Rimase steso sulla pancia, cercando ancora di afferrarmi una caviglia. Lo evitai per un pelo e saltai dalla finestra.

Il colpo contro il cemento mi tolse il fiato. Corsi verso il parco, travolgendo una coppia di inservienti che stavano giocando a carte su un gradino.

«Ma dove va?» chiese uno dei due.

Non lo sapevo, l'importante era che non fosse la strada d'ingresso. Galoppai tra i cespugli fino al muro di cinta.

Voci lontane. *È andato di là, è lui, prendilo, prendilo. Ehi, lei, si fermi!*

Il muro era alto almeno tre metri, fatto con grossi blocchi di cemento armato. Infilai un piede in una fessura e riuscii ad afferrarmi con le mani al bordo. *Tirati su, vecchio ciccione, tirati su. Tirati. Su.* In condizioni normali non ce l'avrei mai fatta, ma quando hai una paura del diavolo, fai miracoli. Superai la sommità del muro con il gomito destro, feci leva per tirarmi su e mi buttai dall'altro lato. Nei fumetti c'era sempre un cespuglio ad attutire il colpo, nel mio caso trovai solo il marciapiede di un vicolo e mi feci un male dell'accidenti. Ma me ne accorsi dopo. Mi rialzai e continuai a correre, prendendo vie a caso. Mi bruciavano i polmoni e la milza. Alla decima svolta, quasi mi scontrai con un paio di gazzelle dei carabinieri e mi appiattii nella rientranza di un negozio. Era una macelleria. La faccia di Ustoni sorrideva da una vetrofania: *Grande concorso* SMS. *Vinci con i salumi Ustoni il set di coltelli d'alta cucina.* L'immagine del premio mi tolse il fiato residuo. Entrai.

Il macellaio sembrava un commesso di sartoria, tanto era elegante e pulito. Ero l'unico cliente. «Come posso servirla?» chiese.

«Ho letto del premio.»

«Sì?»

«Non è che ha una fotografia migliore dei coltelli?»

«Vuole sapere se ne vale la pena? Guardi lì, nella vetrinetta dietro di lei.»

Tra i vasetti di mostarda e di sottaceti c'era una valigetta tipo ventiquattrore, aperta. Dentro luccicavano i coltelli Ustoni.

«Ci hanno dato un campione da mostrare ai clienti.»

Avvicinai il viso al vetro. Lo spaccaossa, la sua lama. Era identica a quella di cui avevo raccolto un pezzo, alla base del lampione, dopo che il motociclista aveva cercato di farmi saltare la testa. Lo stesso colore, lo stesso metallo.

«Non dovrei dirglielo» continuò il macellaio. «Ma non è che siano granché. Se dovessi usarli io si romperebbero subito. Però sono gratis, cosa pretende?» Allargò le braccia. «Allora, salumi Ustoni?»

«No... no, grazie.»

Mi girava la testa e le botte cominciavano a farmi male. Lo stesso coltello, ma perché? Max l'aveva preso a casa mia, quando mi aveva messo la bomba nel computer? Non aveva senso.

Il cellulare mi vibrava in tasca. Non guardai nemmeno chi fosse e lo lanciai contro il muro. Se ti potevano mandare la pubblicità, potevano anche scoprire dov'eri. Si era rotto in due pezzi e lo calpestai finché non rimasero solo schegge di plastica. Ripresi a camminare, più lentamente. Ero ormai lontano dall'ospizio, e gli sbirri non potevano bloccare tutto il quartiere. Ma forse mi stavano guardando dallo spazio, con i satelliti. O stavano annusando il mio DNA nell'aria. In quel mondo, era tutto controllato, tutto spiato, tutto collegato in rete. Non c'era modo di uscirne.

Svoltai in una via trafficata di pedoni e auto. Mi aggiustai il cappotto e spolverai i calzoni. Ero uno tra i tanti, un innocuo passante, fino a quando la mia foto non fosse stata mandata su tutti i cellulari, gli iPod, i televisori al plasma, gli schermi giganti a cristalli liquidi dove scorrevano pubblicità natalizie e kamikaze.

Prendetelo. Arrestatelo.

Salii su un tram, poi presi un autobus che andava nella direzione giusta. In mezz'ora, arrivai in viale Ortles e al primo incrocio trovai la casa appoggio. Era un edificio a quattro piani che spiccava nella desolazione del circondario. In mattoni rossi, con un portone di lucido legno massiccio. Una targhetta indicava gli uffici del SS. Sangue, mentre il resto dei campanelli era anonimo.

Gli uffici erano a piano terra e si aprivano direttamente sul cortile interno molto vecchia Milano, con una fontana asciutta e le panche in ferro battuto. C'erano un paio di persone in fila davanti a uno sportello da ufficio comunale, e aspettai il mio turno fingendomi paziente. Chi mi precedeva era andato a ritirare la posta e a chiedere se qualcuno li aveva cercati. Erano i residenti, quindi, gente che fino a poco tempo prima aveva indossato la giacca colorata. Probabilmente veniva dalla comunità anche l'impiegato, perché tra il pollice e l'indice della sua mano destra vidi tatuati cinque puntini neri. Si usava molto, tra chi era stato in galera. «Ha bisogno?» chiese.

Spiegai chi ero, non sembrò molto impressionato. Gli dissi che cercavo Max.

«Non possiamo fornire informazioni sugli ospiti» disse.

«È una questione importante. Sono nel comitato fondatore, ci deve essere il mio nome da qualche parte. Sul sito Internet, per esempio, può controllare.»

«Anche se fosse il presidente Ciampi, non potrei. Io qui ci lavoro.»

«Conosce don Zurloni?»

«Certamente.»

«Lo chiami, e gli chieda di me. Lo farei io, ma ho lasciato a casa il cellulare.»

«Non so...»

Lo convinsi. Disse chi ero e don Zurloni chiese di parlare con me.

«Figliolo, che succede? La polizia ti sta cercando.»

«Chiarirò tutto. Può darmi una mano con il tipo della casa appoggio? Ho bisogno di un'informazione.»

«Mi dispiace, ma non posso. Santo, credo sia meglio che tu...»

«La ringrazio, allora glielo dico io.»

«Santo...»

«Va bene. Porgerò i suoi saluti alla mia signora. Grazie. A presto.»

Riattaccai sporgendomi dietro il bancone. «Visto?» dissi all'impiegato.

«Se lo dice padre Zurloni...» Il telefono cominciò a squillare.

«La prego, ho fretta. Risponda dopo.»

Ring ring. «La persona che cerca è stata qui solo pochi giorni. Ha trovato lavoro quasi subito e un alloggio esterno.» Guardò il telefono.

Ring ring. Alzai e riabbassai la cornetta. Il tipo storse la bocca. «Magari era importante.»

«Mi scusi. Sa dove sta adesso?»

«Posso guardare sul registro. Di solito lo comunicano.» Fece scivolare la sedia sino al computer. Digitò sulla tastiera. «Ah, ecco. Ha trovato lavoro e alloggio come portinaio.»

«Dove?»

«Corso Vercelli 6.»

«È uno scherzo.»

«Perché?»

«Quello è il mio indirizzo.»

Controllò e la sua espressione cambiò. Sembrava confuso. «Lei ha detto di chiamarsi Denti, giusto?»

«Sì...»

«Non capisco... Qui c'è il nome di chi si è fatto garante con il datore di lavoro e il giudice di sorveglianza. Santo Denti. È stato lei.»

3

Ring ring. Ring ring.

«Mi scusi, ma adesso devo rispondere» disse l'impiegato. Lo vidi allungare una mano verso la cornetta e all'improvviso il mondo cominciò a sciogliersi. Era come se stessi guardando due immagini sovrapposte. L'ufficio della casa appoggio con l'impiegato seduto, e una stanza vuota che rimbombava del suono di un trapano. L'impiegato alzò la cornetta. «Sì... è ancora qui.» Gli vedevo attraverso. Due imbianchini stavano dipingendo la parete alle sue spalle, un elettricista tirava i cavi trapassando la scrivania. Mi voltai cercando di infilare la porta, che appariva e scompariva come in un sogno. «Signor Denti» chiamò l'impiegato. «È padre Zurloni!»

Uscii. Un prete mi attraversò senza fermarsi. Una donna spinse una carrozzina contro di me e scomparve. Non riuscivo a muovermi senza urtare corpi che avevano la consistenza dell'aria, vestiti con abiti invernali, in canottiera, con i cappotti e i pantaloni corti, con gli ombrelli e gli occhiali da sole. Saltellavano come in un film accelerato, calpestandosi a vicenda senza farsi alcun danno. Ero nel presente, ero tornato nel passato, gli anni e i giorni si mescolavano.

«No, per favore» dissi. «Per favore.»

Nel cielo c'era il sole, la luna, era buio e luminoso. La strada era una distesa luccicante di auto nuove e vecchi modelli che sparivano uno dentro l'altro. Un autobus multicolore di plastica si contorse sino ad assumere le dimensioni di un vecchio tram di ghisa arancione, un furgone parcheggiò su un gruppo di operai che scavavano la strada senza interrompere il loro lavoro. Le insegne cambiavano da Boutique della Banana a Fruttivendolo, da Mail Box etc a Cartoleria, da Mediaworld a Elettrodomestici. Un'edicola perse i giornali e si trasformò in un vecchio chiosco arrugginito. Le finestre delle case si accendevano e si spegnevano, apparivano bandiere dell'Italia e bandiere della pace, sparivano, tornavano ancora. Spuntarono le gru e un palazzo di cinque piani venne fatto a pezzi sino a ritornare un cantiere, e subito dopo un prato incolto dove giocavano i bambini. Sole, pioggia, notte, sole. Un corteo di operai riempì la via per un attimo fischiando e battendo i tamburi.

Mi strinsi la testa tra le mani. «Basta!» urlai al nulla.

Buio, luce. I manifesti delle pubblicità si sovrapponevano e si strappavano nel giro di un battito di ciglia. Il manichino di un negozio passò dal cappotto al costume da bagno, poi la vetrina si ricoprì di fogli di plastica. Niente rimaneva abbastanza stabile perché riuscissi a fissarvi lo sguardo. Gli alberi assorbivano le foglie nei rami, i rami rientravano nel tronco e diventavano più sottili. Sole, pioggia, notte. Mi concentrai per riuscire a camminare. Le mie scarpe cambiavano a ogni passo: stivaletti, mocassini, sandali, Nike multicolori, anfibi. Cercai di saltare una buca che non esisteva dove omini in tuta che non esistevano piazzavano tubi di plastica blu. Colpii il muro di una casa. Era solido, mio dio, solido. Mi ci aggrappai, chiusi gli occhi. Quando li riaprii stava nevicando. Ed era vera neve. Mi gelava la faccia e le mani, e fu quella a impedirmi di impazzire del tutto perché ridisegnò il mondo. I fantasmi sparivano dietro i fiocchi di neve, che si posavano sugli oggetti reali, sulle persone che abitavano la realtà e non le memorie del pubblicitario che si riversavano nel mio cervello andato in tilt. Concentrandomi su quello che sapevo vero, o che speravo lo fosse, riuscii a orientarmi nel presente. Dovevo andarmene di lì, la polizia mi cercava, Zurloni sapeva dov'ero.

Incurante di ogni cautela presi un taxi, di cui riconobbi la consistenza grazie alla neve che si era accumulata sul tettuccio. Ed era bianco, non giallo come quelli che balenavano agli angoli del mio campo visivo. Diedi l'indirizzo di Sally e durante il viaggio riuscii a riacquistare la padronanza di me. Il mondo fuori del finestrino smise di cambiare. Adesso viaggiavo in una sola Milano, imbiancata e gelida.

Quando arrivai a destinazione, corsi verso il Phone Center. Ragiul e i suoi due amici ciondolavano sull'ingresso guardando cadere i fiocchi.

«Dov'è Salima?» chiesi.

«Al centro. Ti servono le chiavi di casa?»

«Sì.»

Le presi, poi corsi nel vicolo e oltrepassai la porta di ferro. Salii le scale sino alla palestra. Il passaggio della polizia aveva lasciato porte sfondate e vetri rotti. Salima, in kimono, era seduta con le gambe incrociate nello stanzone gelido, di fronte alle bambine che imitavano i suoi gesti con le mani. La afferrai per un braccio. «Dobbiamo andare» le dissi.

Mi guardò sbalordita. «Sto facendo lezione, Santo. Ne ho ancora per mezz'ora.»

«Non possiamo aspettare. Vieni via.»

Il mio tono e la mia espressione dovevano essere terribili, perché Sally congedò le bambine, e corse a infilarsi gli abiti civili.

«Che cosa è successo?» mi chiese sulle scale.

«Devo scappare, Salima.»

Si bloccò sul gradino. «Dalla polizia?»

«Sì. Per favore, sbrighiamoci.»

Non si mosse. «Spiegati.»

Mi appoggiai alla parete, confuso, frustrato, spaventato. «Sally... ho cercato il colpevole sbagliato. Per la morte di Roveda.» Max. Quante volte lo avevo incontrato seduto nella guardiola del mio palazzo. Un vecchio, avevo pensato, ma era lui devastato dalla malattia. Il pubblicitario non era come me, non era andato a cercarlo per spaccargli le ossa. Lo aveva assunto, gli aveva dato una seconda possibilità. E la sua soddisfazione era fargli portare la biancheria pulita a suo padre in ospizio, guardarlo mentre si levava il cappello davanti a lui, quello fortunato, quello dei due che ce l'aveva fatta. «E adesso non c'è più tempo per niente. Mi cercano, ho fatto un casino.»

«Ma...»

«Sally, la mia avvocatessa ha detto che devo guardare in faccia la realtà, ma io non so più qual è. Non posso più fidarmi di me. Vedo... vedo cose che non esistono.» Forse anche il motociclista era una mia fantasia e la bomba me l'ero messa da solo. Perché no? Ero matto. «Devi aiutarmi.»

Stava piangendo. «Che cosa posso fare?»

«Metà dei tuoi amici sono clandestini. Sanno come

muoversi senza documenti, come passare la frontiera. Loro entrano, io devo uscire. Sarà più facile, non credi?»

«E io? E nostro figlio?»

«Starete meglio senza di me.»

Per qualche istante rimase in silenzio, poi si asciugò gli occhi.

«Ti posso accompagnare da qualcuno... Ma non so se funzionerà. Vogliono soldi per queste cose.»

«Mi è avanzato qualcosa. Se necessario ruberò. Lo sapevo fare e non ho più niente da perdere.»

«Santo...»

«Andiamo, per favore.» Per un secondo la sua immagine sfarfallò. Non era più in kimono, aveva un abito estivo, una gonna, e mi sorrideva. Mi morsi la guancia, e ritornai al presente.

«Devo passare a prendere le chiavi della macchina» disse Sally.

«Ok.»

Scendemmo in strada senza parlare. La neve cadeva fitta, adesso, e pensai che era un bene. Avrebbe reso più difficile vedermi, avrebbe giustificato un cappello calato sugli occhi, il bavero rialzato. Salimmo in casa. Sally andò in camera, io decisi di guardare le ultime notizie su Internet. C'era già la mia faccia? C'era. Il quotidiano on line spiegava che la polizia aveva saputo che mi trovavo a Villa Serena perché un poliziotto mi aveva visto entrare e se n'era ricordato quando, cinque minuti dopo, era stata diramata la mia descrizione. Lessi tutto l'articolo cercando qualche spiraglio a mio favore, ma non ce n'erano. È andata, Trafficante. (Impara: *sei un assassino*. Impara: *sei finito*.)

Sally sembrava sparita. Mi alzai dal computer e andai a vedere se aveva bisogno di qualcosa. La trovai distesa a faccia in giù sul pavimento. Riccardino era seduto sul letto ad aspettare con una pistola in mano. Sulla canna aveva innestato una bottiglia di plastica tagliata in due e l'aveva riempita di qualcosa che sembravano dischi di feltro. Ma guarda, riuscii a pensare, un silenziatore fatto in casa. Poi Riccardino mi sparò.

4

La velocità d'uscita di un proiettile calibro .22 LR sparato da una Beretta Bobcat con canna da 61 mm è di 315 metri al secondo. La velocità delle scariche elettriche che partono dal nucleo di un neurone e corrono lungo gli assoni è circa un terzo. Ma in un centesimo di secondo ci sta tutto un sogno e un ricordo lungo una vita.

Proiettile numero uno, polmone sinistro.

Roveda mi riceve nella sua villa e sembra non aver fretta di parlare. Mi offre da bere e mi porta a fare una passeggiata nel suo giardino che, dice, cura personalmente non appena ha un attimo di tempo. Ci sediamo a un tavolo sotto un pergolato, il clima è dolce, un fine settembre che sembra quasi primavera. Sento l'odore del mare e quello del cespuglio di rose bianche a due passi da me che stanno cominciando a sfiorire. Roveda estrae dalla tasca un mazzetto di fotografie e le sparge sul piano di legno scuro, scavato dall'uso. Le guardo, io e Sally. «È una bella donna» dice Roveda. «Immagino sia una di quelle che può far perdere la testa a un uomo come te. Sei furbo, ma io sono vecchio e ho più esperienza.»

«Che cosa vuoi?» gli chiedo, anche se ho già capito.

«Ridefinire il nostro rapporto. Credo possa convenirti.»

Proiettile numero due, coscia sinistra a un millimetro dall'arteria femorale.

Roveda e io litighiamo nel suo ufficio. Facciamo rumore perché ci sentano oltre la porta, soprattutto a beneficio del mio futuro suocero, ma se qualcuno ci guardasse scoprirebbe che sulla scrivania c'è un sacchetto di carta colmo di biglietti da cinquecento euro. Roveda li sta contando e li infila ordinatamente nella sua valigetta Bottega Veneta.

«Sei sicuro che andrà tutto bene?» gli chiedo a bassa voce. «Senza questi avrò problemi anche a pagare l'affitto.»

Sorride. «L'affitto è per i miserabili. Te la devi comprare, la casa.» Poi, urlando: «Qui le cose cambieranno!». E sorridiamo, perché entrambi sappiamo a cosa si riferisce.

Le informazioni viaggiano sempre nei due sensi. Roveda avvantaggia i concorrenti dei nostri clienti violando il segreto industriale, ma è solo una piccola parte del suo business. Roveda pensa in grande, Roveda, investe su quelli che beneficiano delle informazioni che lui vende a caro prezzo al suo contatto svizzero. Compra le loro azioni poco prima che salgano in borsa, acquista piccole quote societarie. Non direttamente, ma attraverso una delle 300.000 finanziarie off shore dell'Isola di Tortola: la sua, o meglio, del prestanome di un suo prestanome. I miei soldi finiranno lì attraverso gli intermediari. Adesso siamo soci.

Il terzo proiettile mi perforò il ventre poco sopra la milza.

Roveda mi aveva riferito di quello che definiva un «piccolo problema diplomatico». Scopro che non è tanto piccolo arrivando a casa sua: la porta è aperta e il suo cadavere galleggia nella piscina. Penso alle impronte che ho lasciato in giro, penso ai miei soldi su cui non riuscirò più a rimettere le mani, penso che nessuno crederebbe che io e Roveda eravamo diventati amiconi. E quando vedo la penna stilografica a mollo in una pozza di sangue, capisco chi è stato. L'ho vista troppe volte per non riconoscerla. È la penna di Riccardino. Il pasticcione. L'idiota. La spia di Roveda. Quello che sa tutto di me. Quello che mi ha fotografato. Penso che se lo arresteranno, dirà quello che sa. Penso che andrò a fondo con lui. Posso fare solo una cosa. Ripulisco, lavo, sfrego, lucido, con il terrore che arrivi qualcuno prima che abbia finito, cancello le mie impronte e quelle di Riccardino, mi infilo in tasca la penna. Se sarò costretto, se la polizia sospetterà di me, la consegnerò. È la mia assicurazione sulla vita. La mia carta per uscire di galera. Voglio nasconderla da qualche parte, insieme con i documenti contro Roveda che ancora ho nella cassaforte. Ma quando torno a casa, Monica mi sta già aspettando sul portone. Non si accorge che sono fuori di me, e io cerco di comportarmi normalmente. Continuo a pensare a quello che potrebbe succedermi. Mi gira la testa. Nel primo intervallo vado nei bagni della Scala a lavarmi la faccia. Tremo come una foglia.

Il quarto e il quinto proiettile finirono contro il soffitto perché ormai ero addosso a Riccardino, con tutto il peso del mio corpo. Era vero quello che mi raccontavano i vecchi assassini sulle calibro .22, non fermano un uomo se non lo colpiscono alla testa. Non mi ero nemmeno accorto di essermi messo a correre. Lo capii solo quando vidi la faccia di Riccardino che digrignava i denti a un centimetro dalla mia. L'artigliai con una mano, strappandogli gli occhiali e graffiandogli gli occhi. Gli sputai addosso il sangue che mi aveva riempito la bocca. Non sentivo dolore, solo rabbia, furia. Un cuscino aveva preso fuoco per le scintille, lo afferrai e glielo premetti sul viso, incurante della pelle della mano che friggeva. Riccardino gridò e lasciò cadere la pistola. Io continuai a spingergli il cuscino in faccia fino a quando le fiamme non divennero un fumo acre. Aveva i capelli bruciati, e la faccia blu. Rotolò supino sul pavimento, respirando debolmente. Sentivo un polmone sibilare quando inalavo, il sangue mi colava dalla pancia, riempiendomi i pantaloni, bagnandomi le calze. Tossii. Uno spruzzo di sangue mi uscì dalla bocca e si allargò sul muro. Vedevo delle macchie nere ballare nell'aria. Avevo freddo. Vedevo tutto come attraverso il lato sbagliato di un binocolo. Mi lasciai cadere a fianco di Sally. Era sveglia, ma ancora non riusciva a muoversi. Aveva una pupilla più grande dell'altra. «Lui... lui...» disse indicando debolmente Riccardino.

«Lui» dissi io, sempre in ginocchio mi portai su di lui e gli presi la faccia tra le mani. Vidi le sue labbra compitare per favore, senza emettere suoni. Gli alzai la testa, poi la picchiai contro il pavimento. Ancora. Ancora. Ancora. Sentii l'osso frantumarsi. Ancora. Ancora. Ancora. Il sangue si allargò dalla sua nuca, le gambe ebbero uno spasmo. Prima di svenire strisciai sino al comò, presi la penna stilografica, la ripulii dalle mie impronte e gliela infilai in tasca.

❖

Ci sposammo appena uscii dall'ospedale a febbraio, in una chiesetta a Ponte di Legno. Ero calato di quindici chili, e facevo una splendida figura nel mio completo di Battistoni. Mai quanto mia moglie, però, in un abito di Carla Pignatelli con strascico di due metri. Avevamo voluto una cerimonia semplice, con solo un centinaio di invitati e senza troppi fiori. Fu commovente, e quando padre Zurloni le fece la domanda di rito, Monica pianse e faticò a rispondere. Il pranzo lo tenemmo naturalmente alla SS. Sangue, dove per l'occasione era stata preparata una fila di tavoli nella piazza principale, riscaldati da funghi a gas dipinti di bianco. Parteciparono tutti gli ospiti della comunità, un evento che la stampa definì "da Guinness dei primati". Ci regalarono due Rolex d'epoca, con i nostri nomi e il logo della comunità inciso sulla cassa. Poi partimmo per un viaggio di nozze nell'Outback australiano, due settimane a cavallo, io, lei e la natura. Non parlammo mai di Sally, faceva parte di un passato che avevamo deciso di comune accordo di non rivangare. Non l'avevo più incontrata dopo quella sera. Sally aveva perso il figlio per le botte di Riccardino, ma respinse ogni tentativo di aiuto da parte mia: gli assegni che le inviai tornarono indietro, e seppi in seguito che aveva cambiato città. Non mi aveva perdonato quello che era successo a casa sua. Riccardino era già morto quando arrivarono ambulanza e polizia, e nessuno dubitò mai che fosse stato per legittima difesa. Quando gli trovarono la penna stilografica addosso, con le tracce del DNA di Mariano Roveda, fui completamente scagionato da ogni accusa. La polizia aveva trovato poi in casa di Riccardino centinaia di mie foto e le istruzioni su come fabbricare bombe e silenziatori prese da Internet. Era ossessionato da me, da quando ero diventato il suo capo in barba alla sua anzianità aziendale.

Se non mi fossi così ostinato su Max, il povero Max

che continuerà a lavarmi le scale e parcheggiarmi l'automobile finché le sue condizioni di salute glielo consentiranno, probabilmente avrei capito che era Riccardino il mio nemico. Quando c'era un progetto importante ne discutevamo a casa mia, nei weekend, e qualche volta si fermava a dormire. Andavamo nella stessa palestra e aveva visto nascere la mia relazione con Sally. Aveva tra le mani i prototipi dei coltelli omaggio Ustoni, visto che anche lui seguiva il progetto. Senza contare che sapeva con precisione dove Pippo parcheggiava la moto. L'omicidio Roveda non rientrava nei suoi piani, lo amava come un padre, gli sarebbe bastato eliminare me con la bomba nel computer, che aspettava da quasi una settimana. Ma quando Roveda gli aveva comunicato (su mia richiesta) che avrebbe dovuto trovarsi un altro lavoro, Riccardino si era un po' risentito. Aveva trascorso due anni a fornire a Roveda informazioni su di me e tutti i miei colleghi: sperava in una ricompensa migliore. Vedermi arrivare il giorno dopo con *quella* penna nel taschino, gli aveva fatto perdere definitivamente la brocca. Nella sua mente malata, sicuramente pensava stessi giocando con lui.

Con il vero colpevole arrestato, la mia reputazione recuperò punti abbastanza in fretta. Quelli che mi avevano dipinto come un maniaco, scoprirono che ero invece un eroe, che aveva lottato contro tutto e tutti, con un coraggio da leone. Un cliente dell'agenzia mi chiese di diventare il testimonial per la sua linea di cosmetici quando ancora faticavo a reggermi in piedi. Slogan: *La forza della verità*. Spillo ritrattò le sue dichiarazioni: disse che era stato Riccardino a comprare i tabulati. Concordò la versione con il mio nuovo legale, che versò il compenso pattuito a Oreste.

Mio padre morì mentre ero in ospedale, a Natale, senza più riprendere conoscenza: visto che non potevo muovermi, mi risparmiai il funerale.

Il padre di Monica, invece, ebbe un incidente a maggio. Durante un party offerto ai promotori della B&M gli andò di traverso l'oliva del Martini con un pezzo di stuzzicadenti. Lo aveva salvato un cameriere, che gli aveva praticato la manovra di Heimlich, ma il suo cervello era rimasto senza ossigeno troppo a lungo, e ne aveva riportato danni permanenti. Da allora mio suocero non riesce più a parlare, e non controlla più i movimenti della parte destra del corpo. Ogni tanto passa in agenzia spinto sulla sedia a rotelle dal suo infermiere e guarda con occhi acquosi e tristi il regno che è riuscito ad avere solo per pochi giorni, prima di perderlo per sempre.

E Trafficante? Be', Trafficante non è mai sparito, non del tutto. È ancora dentro di me, dove è sempre stato, invecchiato e più ragionevole di quando avevo vent'anni. Qualche volta provo nostalgia per lui, mi piaceva il suo modo di affrontare il mondo, ma le cose vanno avanti, e i rimpianti sono una merce che non ha mercato. È il parere professionale di una persona che ha imparato a vendere di tutto, e al prezzo più alto. Dopo quello che è successo a mio suocero, il consiglio della B&M ha dovuto cercare un nuovo amministratore delegato.

Indovinate chi hanno nominato?

Se siete arrivati fin qui...

Se siete arrivati fin qui, significa che il libro vi è piaciuto, oppure che siete dei cocciuti inguaribili, disposti a soffrire pur di concludere quello che avete iniziato. In entrambi i casi vi ringrazio.

E voglio ringraziare quelli, e sono tanti, che mi hanno aiutato durante la stesura di questo romanzo, specificando che non hanno alcuna responsabilità per le eventuali scemenze in esso contenute.

Comincio non da una persona, ma da un'istituzione chiamata Wikipedia (www.wikipedia.org). È una sorta di enciclopedia in rete, le cui voci sono cambiate, modificate o aggiunte dagli utenti stessi e nella sua versione italiana e inglese mi è stata utilissima, anzi indispensabile, per controllare date e avvenimenti: grazie, chiunque voi siate.

Sempre nell'ambito "cronologie", un grazie di cuore anche a Francesca Tassini, che ha fatto una marea di ricerche preliminari.

Grazie a Piero Frabetti, che mi ha aiutato a scegliere marche e brand di prodotti che il mio protagonista poteva indossare o utilizzare. Per l'abito da sposa, grazie a Klodiana Goxa.

Grazie a Fabrizio Quadranti, che mi ha mappato Lugano e i suoi bar.

Grazie a Fabrizio Kix Longo, per la descrizione accurata di una comunità di recupero, che mi è servita come base per il SS. Sangue.

Grazie ad Andrea Cotti, che mi ha letto nella prima stesura, dandomi consigli acuti.

Grazie a Roberta Melli e alla Gráphein, che hanno spulciato il mio testo segnalandomi gli errori che commettevo e aiutandomi a rimetterlo insieme nel modo giusto.

Grazie a Maurizio Totti, con il quale, su una spiaggia assolata, abbiamo discusso a lungo di modi di dire ed espressioni idiomatiche, che ho avuto modo di utilizzare in molti punti del testo.

Grazie a Dino Torrisi. La sua rilettura finale mi ha permesso di rimediare a numerosi errori, in special modo nelle terminologie aziendali e pubblicitarie.

Grazie all'inventore dello slogan: "Pagherete poco, stamperete tutto". Non è mio, a differenza degli altri nel romanzo, ma mi pareva perfetto. Ho cercato di scoprire chi fosse, ma non ci sono riuscito. (Già che ci sono vorrei dire che lo scooter a tre ruote di cui parlo non è quello attualmente in commercio. Quando ho cominciato gli appunti del romanzo, due anni fa, non esisteva ancora.)

Grazie all'art director Giacomo Callo e a Manuele Scalia per la splendida corpertina.

Grazie a Sandro "Alex" Moretti per la cura del mio sito (www.sandronedazieri.it, ora anche www.myspace.com/dazieri) e il costante aggiornamento.

In ultimo, due grazie particolari.

Il primo a Laura Grandi, la mia agente, che ha seguito il mio romanzo passo passo, capitolo per capitolo, anche durante le vacanze estive, coccolandomi quando ero giù di morale.

Il secondo, come sempre, a Olga Buneeva, che continua a sopportare questo essere grufolante, sempre con la testa via.

S.D.
Mosca, dicembre 2005 – Milano, ottobre 2006

«È stato un attimo»
di Sandrone Dazieri
Collezione Strade blu

Arnoldo Mondadori Editore S.p.A.

Questo volume è stato impresso
nel mese di febbraio dell'anno 2007
presso Mondadori Printing S.p.A.
Stabilimento NSM - Cles (TN)

Stampato in Italia - Printed in Italy